樫山欽四郎

運命と摂理

行人社

運命と摂理／目　次

運命と摂理

初出：樫山欽四郎著『運命と摂理』（まみず新書18）、
一九六八（昭和四十三）年十一月十五日、柏樹社

一　パンドラの壺――運命

世の中には精薄だと言われるような人々がいる。どの位の数の人々がそういう状態にいるのか、詳しい統計はないらしい。周囲の人達がそれを隠しているからだとも考えられる。自分の子供を人々の目にさらしたくない。そういう子供がたまたま生まれてくる。そのとき親はどう思うだろう。なぜ自分はこんな目に会わなければならないのだろうとくやむ。その切なく苦しい胸のうちは、はたから察してもどうなるものでもない。それはせいぜい同情にすぎない。同情されたところで当の親の苦しい胸のうちはどうなるものでもない。自分だけがどうしてこんな憂き目を見なければならないのかということになると、誰もそれにかんたんに答えることはできない。下手な答えをすれば親達を一層かなしませるだけである。

水俣病というような病気がある。どうしてよりによって自分がこんな業病にとりつかれねばならないのか。風土病だとして諦めるにしても、その風土の中にいれば誰もがかかるというわけではない。それなのになぜ自分だけがかからねばならないのか。そう考えると、ときに居てもたってもいられない気持にさせられると思う。それを黙って見ているよりほかない周囲の人々のことを考えると、人の世の切なさは一入《ひとしお》である。どうしてほかの人でなくて自分がこんな目に会わねばならないのか。これは考えてみると大変なことである。

科学と言われるものがある。そういう立場からみれば、精薄児が生まれるにはそれだけの理由があることになる。両親のどちらかが悪い病気をもっていたからとか、その悪い病気はその親がふしだらな生活をしていたためだとか、大酒のみだったとか、気がつかないで原因となるような薬をのんでいたとか、その他いろいろの理由をあげることができる。詳しい分析をすれば、それがそうなって行く理由、経過、結果など、手にとるように説明できるかもしれない。現在生理学のような、遺伝学のような学問がそういうことをどれだけ説明してくれるのか、その詳しいことは私にはわからない。が科学の進歩と言われるものはそういうことをいつの日にか解きあかすことができるだろうと思われる。それはそれで結構なことであり、立派なことである。だからそういう努力が払われねばならないし、そういうことに生涯を傾けている学者には敬意をはらって然るべきだと思う。それによって事態が解明されれば対策も生まれてくるであろうから、いつの日にか精薄児が生まれるというようなことはなくなるかもしれない。

けれども、そういうことがどんなに詳しく説明されてみても、そういうことに現に出会っている親の苦しみは別になくなりはしない。それだけではない。なぜこの私がそういう目に会わなければならないのかということは、そういう説明などによってなくなるものではない。仮りに父親が大酒のみだったから、その他病気をもっていたからだというふうに、理由がはっきりしたからといって、大酒のみは自分一人ではないだろうにという気持はなくならないであろう。そういうことに対する説明というものは、みなことが起こってから後でのことなのである。後からふりかえってみればいろいろと説明がつけられるのである。説明がつけば当り前のことになってしまう。そういう生活をしていた親の受くべき当然の苦しみだということになる。だが、この説明というものは、いつでも他人の立場から行われているのであって、そのことに現に出会っている当人にとっては、いつでも他人の言葉でしかないのである。精薄というような場合は、病気の当人は苦しんでいないのだから（少なくとも外見はそういうことになっているのだから）それに直面する親にとっては、問題は一層切実だと言わねばならない。

水俣病とか、イタイイタイ病とかの場合、それを病んでいる当の人は自分が業病にかかっていることをいやというほど知っている。何故自分はこんな目に会わねばならないのだろうかと思う。だがこれにしても、化学はいろいろその原因を究明することができるし、現にかなり詳しいことまでわかっているらしい。政治的な理由その他があって、科学者も明確な裁定を下しえない事情もあるらしい。が仮りにそれが完全に解明されたとしても、だからといってその当の病人の切なさはそれでなくなるわけではない。病気が治るとしても、そういう苦しみを受けるのがなぜ「この私」でなければならないのか、という問題はそこから消えうせはしない。

そういう風土病のようなものは、社会学的にもいろいろ究明されうるであろう。そういう風土に対して科学的な態度をとりえなかった政治の貧困を結論としてとり出すこともできよう。昔からその土地にしみこんでいた習俗が、社会的環境の改善をはばんできた、そのため人々を風土に隷属させてしまったのであるというように説明することもできよう。だがそういう説明が微にいり細をうがつにしても、病人自身が、なぜそれが私でなければならなかったのかと、天に向かって叫びたくなるのを抑えることはできない。そういう学問の大切なことについては説明の必要もない。だがやはり、それらの学問的説明にしても、よりによってこの私がという訴えに対する説明としては、弱いと言わねばならない。その事態の中に入っている当の主人公にとっては、説明はいつでも、後からやってくるのである。いつでもそれは遅すぎるのである。

このことは、そういう業病のようなものでなくとも言えることである。交通事故に出会った場合などにも言えることである。大方の人々は怪我もせずに毎日通勤通学しているのに、自分だけがなぜこんな目に会わなければならないのかと。これも警察官その他がいろいろ理由を説明してはくれるであろう。不注意であったとか、酒をのんでいたとか、用事があっていそいでいたので止むをえずその時間にそこを歩かなければならなかったのだとか、他の道を行ってもよかったのだが、そこにはあいにく何かわけがあって通れなかったので、その道を通らなければならなかったのだとか、もう一分一秒早くかもしくは遅くそこへ行けばよかったのだが、急用があったのだから、その時間になってしまったとか、或はその反対にいそぐ用事もなかったのでブラブラしていてその時間に行き合わせてしまったのだとかいう類である。その他車を運転していた方の側からもいろいろ説明がつけられるであろう。

だがそういう説明はどんなにうまく行われていようとも、所詮は第三者のいうことである。或は当の主体がふりかえって第三者の立場になったつもりで、説明してみるだけのことに止まるであろう。そういう説明が行われたからといって、それがなぜ私でなければならないのかという問題は残る。事は起こってしまったのである。そこに私がいた。それをどうしても取り消すことはできない。説明はいつでも事の後を追っている。それを先廻りすることはできない。だからいつも気をつけろと言っていたではないか、そう言って叱ってみても、起こったことを取り消すことはできない。そんな注意は百も承知していながら、しかも事故に出会ったのである。

後から説明すれば、何事にもそうなるべき必然があったことになる。だから当然のことをしたまでで、今更とやかく言っても始まらないということになる。水が低いところに流れるように当然のなりゆきだということになる。いわゆる冷静に客観的に説明すればそういうことになる。説明というのは外から必然性を見つけることだからである。そこにはいつも第三者が頑張っている。だからその説明はそこに現にいる主体、この私の心情には迫ってこないし、私の主体にはかかわってくれない。たかだか同情してくれるだけである。同情されたところで、私の痛みはなくなりはしない。私がそういう目に会ったということを取り消してはくれない。こう言ったからとて、「同情の美徳」を否定しようなどと言っているのではない。同情は同情であって、それ以上ではないと言っているまでのことである。だから徒らな同情は時に空々しくさえ聞こえるのである。むしろ苦しむだけ苦しめと言ってもらった方がいい場合だってある。

そういう事故などと言わなくともよい。もっと他の例からも言えることである。アメリカでは黒人が差別待遇されるという。そういうところに、なお且つ私が黒人として生まれたとして、このことを私は一体誰に訴えたらいいのだろう。戦禍の中のベトナムに生まれ合わせた。これを誰にどう訴えたらいいのだろう。そういうことでも、客観的に説明すれば何でもないことである。私の親が黒人であったから、ベトナム人だったから、と言ってしまえばそれでおしまいである。事態は実にかんたん明瞭である。だがそんな説明は、客観的説明は、黒人としてここに私がいるということに対して何もしてくれはしない。私の主体からすれば、そんな説明ほどやり切れなく、馬鹿馬鹿しいものはない。私が生まれた、黒人として生まれた、黒人として私がここにいるという事態に対し、何物をも加えないし、何物も引去りはしない。後から私にそんなことを言ってきかせたとて、それが私にとって何であるか。

アメリカの社会がいけないのだ、だからこの社会のそういう人種差別的空気をなくすために、お前は戦えばいいのだと、そんなことを言ってくれる人もいるであろう。それはその通りかもしれない。だが、だからといって私が黒人でなくなるわけではない。いやそういうことを言われ、そういう差別撤廃運動などにたずさわればたずさわるほど、私が黒人であることはいよいよはっきりと私の前に立ちはだかってくる。払っても払ってもそれはついて離れない。説明はいつでも第三者のすることであるし、後からのものである。いつだってそれはその事態に間に合いはしない。気がついたときはもう遅いのである。人生はいつでも遅きにすぎるのである。そういうふうに考えることもできる。ファウストのなかに、「できたことはいたしかたございません」という言葉が出てくる。何もファウストなどと大げさなことを言わなくとも、これは日常われわれが目のあたり経験していることである。

これまでずっと異常と言われるような例ばかりあげてきた。だが、そんな異常なことでなくともよい。普通ごく当り前のことでよい。そういう当り前のことの中にもこれまでのべたようなことが言えるのである。私はごく当り前の小市民である。ごく普通の頭の程度で、普通の常識家で、これだけのものとしてここにいる。この場合にも、私は何故「他の私」ではなかったのかという問は成り立つ。なぜ私はもっと秀れた才能を与えられなかったのだろうかと。なぜもっと芸術的天分を与えられなかったのだろうかと、なぜもっと学問的才能をもち合わせなかったのかと、何故もっといい環境に生まれなかったのだろうかと。いくらでも考えられる。私がここにこれだけのものとしてある。これは私の責任ではないと考えることもできる。私は親に生んで下さいとたのんだおぼえはない。親は勝手に私を生んだ、しかも私はこれだけのものでしかない。その責任はすべて私にはない。そう考えて、この私をどうしてくれるのだと何かに訴える人がいるかもしれない。いや誰もがそういうことを考えるかもしれない。

一度そういうことを考えて、それにとりつかれると全くどうしようもない人生にぶつかる。

この場合でも客観的説明は可能である。お前がそういうものとしてそこにいるのは、お前の親が祖先がそれだけのものでしかなかったからだとか、お前の育った社会的環境はよしお前に才能があったにしても、それをのばしうる状況にはなかったのだとか、お前が生まれた地方ではせいぜいそれ位のもので、そういう地方の有様からみればお前などはまだましな方だとか、その他いくらでも説明ができる。お前は努力次第で何かになれないことはないのだから、現状に甘んぜず大いに努めるがいいとか、そういった類のことはいくらでも言える。

だが、これも第三者のいうことである。そこに私がそういう形でいるという事実に何物をも加えないしへらしもしない。私が生まれた後でそんなことを言ってくれたとて何になる。そんな説明は聞きあきた。私は生まれてここにこうしているではないか。君達のいうことはこの事実を後からあれこれと説明し、なぐさめ顔にあれこれ言ってくれるだけではないか、有難迷惑な話だ、そう言って反論する主体がそこにいることは、どうしても否定できないようである。

「わかってたまるか」という映画か何かの題名があったように記憶する。全くわかってたまるかである。わかったようなおせっかいは止めにしてもらいたい。いいからもう一人にしておいてくれ。そういう気持を一度ももったことのない人も少ないだろうと思う。そう考えると、どうにもならない人生がそこにあるように思われてくる。

いろいろ例をあげて説明してきたが、これらのことは、結局、人間がいるとはどういうことなのかということに通じる。何故生まれてきたのか。生まれてこなければこんなことをあれこれ思いめぐらさずにすんだのに。なまじ人間などというものがいて、心などというものをもっているものだから、ことがやかましくなる。そう考えると、一体人間がいるとはどういうことなのかという問題になる。がそれは人間がこころなどをもっているからでもある。そうでなければ、そんなことを考えるはずはないからである。苦しいとか、悩ましいとか言っても、こころがなければ何でもない。こころなどがあって、自分などというものが意識されるものだから、あれこれと思いわずらうことになる。どうして人間は思いわずらうようにできているのだろう。何故こころだの意識だのというものがあるのだろう。だがそう気がついた時はもう遅いのである。そう気がついたからといって、思いわずらうこころが消えてなくなりはしない。いや気がつくことはいよいよ思いわずらいが強く深く大きくなることである。

人間がいる。これがすべての問題の発端である。なぜなのか。それは誰にもわからない。なぜ人間がいるのか。それに答えることは誰にもできない。人間は気がついたら人間だったのである。誰も好んで人間になったものはいない。気がついてみたら自分は人間であって、猿や犬でもないし、石や木でもなかったのである。いまなかったと言ったけれども、この過去形が、大切なのである。つまり、それは後からだということである。気がつくのは後からなのである。「私は貝になりたい」という言葉を映画の主人公に言わせた作者がいた。それは詮ないことである。だがそう言いたくなる人があることは確かなようである。気がついてみたら、自分に向かってそう言わざるをえないような人生であったのである。ひっそりと誰にも気づかれずに、じっと静かに海の底にいたい。誰も自分に干渉しないようなところにいたい。世の中も、人生ももうたくさんである。そう言っているのである。こんなはずではなかったのだが、気がついてみたらこんな人生であった。もう取り消しはできない。もういまからでは遅い。そう言っているのである。人間がいる。考えてみればこんな不思議なことはない。人間などいなければ、みんな石や木だったら、こんな悩み多き人生もないだろうに。

　そういうことを考えると、人間がいるということ自身がどうにもやりきれないことになりかねない。人間でなかったら、こんなにあくせくしなくてもいいのに。人間でなかったら、思いのままに野山をかけめぐり、ただ飲んで食ってねていればいいはずなのに、なまじ人間であるためにこんな苦労をしなければならない。鳥や獣は種も蒔かなければ、着物を紡ぐこともない。それなのにゆうゆうと野山にいるではないか。人間であるのに、万物の霊長であるのに、私は食うことに心を配って、ひねもす努力しなければならない。うかうかしているとひどいことになる。

そういうことが問題になるのは、やはり人間がいるからである。思いわずらって身の丈一尺を加ええない人間がいるからである。そうすると人間がいること自身も既に、禍ではないのかと。こういうことはずっと古い時代に人間が考えたことであり、出会ったことである。が今でもそのことに変りはない。資本主義がどうの社会主義がどうの、自由がどうのと言っているのも、人間が思いわずらうからである。そういう人間がいる。これはもう取り消すことのできない大変なことなのである。そんなことは何でもないような顔をして、人々は街を歩いている。角力を見に行ったり、競輪に行ったり、パチンコをやったり、待合に行って高級料理を食べて楽しんでいるらしかったり、みな何も問題はないかのような顔を一応している。たまたまうつむいて沈んで歩いているものがいたりすると、人々はあれは変だという。だがそういう自分は何もなく、鳥獣の如く、木石の如くそこにいるのかと言えばそうではない。ただ何でもないような顔をしているだけである。それが紳士のたしなみというものであるというわけである。

一皮むけば人の世は禍そのものではないか。そういう考えはずいぶん古い昔からあった。それを特に強く言ったものに古代のギリシア人がいた。プロメテウスという巨人がいて、神々のところから火を盗んできて人間に与えてやった。神々はあわてた。人間が火をもてば神々と同じ力をもってしまう。そうなると神々と人間との区別はなくなってしまう。そう思ったからである。そこで神々は怒ってプロメテウスを鎖につないで岩にしばりつけてしまった。それだけでは人間を困らせることはできない。そこでパンドラを人間の間に送ることになった。パンドラは人間達の世界にやってくるときに、一つの壺をかかえて行った。この壺の中に神々はいろいろなものを入れておいた。パンドラは人間の世界についたときこの壺のふたを開けた。そこでその中に入っていたものが人間の中にばらまかれ、入りこんで行った。それらのものの中に禍があった。こうして禍はパンドラによって人間の間に植えつけられてしまった。だからこれは人間の手ではどうにもならないものである。

このお話はギリシア人の人間に対する考え方を非常によく説明している。それは人間の禍というものが、人間によってつくり出されたものではないという考えである。禍は、人間の方から言えば、降ってきたものである。火をもってきてくれたのがプロメテウスであるように、禍をもってきたのはパンドラである。両方とも人間のせいではない。人間が自分でつくり出したものではない。一方は人間に限りない力を与えてくれたが、他方はそうではない。両方が人間によってつくられたものではないということは、また人間の力ではどうにもならないものであることを意味する。禍はどうにもならないから禍である。人間がいるところにはどこにでもついてくるものである。人間は火をもっているから力がある。他の動物たちよりも賢い。それは火をもっていることに象徴されている。だがその人間は同時に禍から逃れることができない。そういうものとして人間が考えられている。

台風などでひどい被害を受けると、必ずと言っていい位、これは天災か人災かという議論が起こる。そういう議論が起こるのは、一方に人間の力を信ずる気持があると同時に、他方には人間を超えた力があると気づかっているからである。禍というものは、自分で進んで自らまねいたものについては言われない。いつもそこには、どうにもならなかったという意識がはたらいている。ギリシア人はそういうものが在ると思っていた。それが人の世の常だと思っていた。この禍の最大のものは人間がそこにいるということである。人間さえいなかったらそんなことにはならなかったのである。そういう形で人間がそこにいるということは、言いかえると人間が生まれて死ぬということである。禍のうちでは死ぬということより大きなことはない。だからギリシア人は「人間は死すべきものである」ということをよく言った。これはギリシア人の場合禍として考えられている。人間は畑を耕し、牛馬など家畜を飼いならし、自然のものを使役することができるのに、死だけはどうすることもできない。そういう言葉を作中の人物に言わせているギリシアの作家がある。が哲学の書物にも、「死すべきもの人間」という言葉はたくさん出てくる。

そう考えていたからギリシア人達は、人間がいること自体を禍と考えた。人々は、ギリシア人が明るく、すこやかで、人生を楽しんでいたように考えているかもしれないが、決してそんなにかんたんなものではない。この禍という観念がはっきりとした形をとると運命と言われるものとなる。運命という動かし難いものがあって、人間をしばっており人間はこれから逃れえないと考えるようになる。それが進んで運命観となって定着する。これが形として表現されてギリシアの運命劇となる。

テバイの王様に男の子が生まれた。この王子の将来を占師に占わせると、この子は父親を殺して母親と結婚するという占となって出てきた。王は驚いてこの王子を捨ててしまう。がこの子は羊牧にひろわれ、その手で養われる。長じて自分が父親を殺し母親と結婚する運命にあると知り、羊牧を父親だと思いこんでいたその青年は、この羊牧のもとを去って、放浪の旅に出る。旅の途すがら馬に乗って従者を従えた男に会い、ふとしたことから喧嘩になりこの男を殺してしまう。旅を続けるうちやがて或る国の境にくると立札が立っていた。いまのこの国はスフィンクスに謎をかけられ困っている。この謎を解いてくれたものはこの国の王になれる、そして女王と結婚することが認められると書いてあった。スフィンクスの謎とは、朝に四本足で歩き、昼は二本足で、夕になると三本足で歩くものは何かという有名な謎である。これを見ごとに説いてその秘密を解き、スフィンクスからこの国を守ったため、女王と結婚し、王となる。王となってからは、見事な政治を行って国を安きにおいた。が十年たった或年のこと、この国に疫病がはやって治まらなかった。思案に余って王は占を命じた。その結果は、この国には父親を殺し、母親と結婚するという不倫をはたらいたものがいる。神がその不倫を怒ってこの禍をもたらしたのだということであった。それを聞いて王は、その不埒《ふらち》な人間を早速探し出せと命ずる。が探し探しするうちに、糸はたぐられた結果、それが王自身であることがわかる。喧嘩して殺した相手はほかならぬこのテバイの王すなわち自らの父であり、いま自分の后となっているのは自らの母であることがわかる。それを知って王は悲歎の余り自らの両眼をえぐって放浪の旅に出る。これが有名な作家ソフォクレスの「オイディプス」のあらすじである。

父王は王子の運命が実現されることを恐れて王子を手離した。王子はそれとは知らずに、羊牧から離れて運命を避けようとした。共に運命に陥ることを避けようとしたのである。そのうえオイディプスは立派な王たるの資質をもち、何人も解けなかったスフィンクスの謎を解きうるほどに賢い人となりをもっている。それにも拘らず、この運命の前にはどうすることもできなかったということになる。そこには人間の知識を離れたところに、人間を操るものがあって、何人もそれに逆らうことはできないという考えがある。人間だけではない。神々もまた運命には勝てないと考えられている。そこにある定まった道筋。人間が賢くて善良であるかどうかに関係なく、人間をきまった道筋に動かすもの、それが運命と呼ばれるものである。

こういう話をきくと、ギリシア人は、心の弱い人間だったのではないかと思う人がいるかもしれない。だが、それは反対である。そこには人間というものを底の底まで見極めようとする人々がいたことを意味する。人間にとってどうにもならないものを胡麻化すことなく受けとって行こうとする人々がいたことを意味する。時にそれをすることは亡びに通じることとわかっていても、そうせざるをえない人間の描写となって現われたり、不正に対するにくしみに充ちた人間の描写となって現われたりするが、そこにいるのは決して弱々しく意気地のない人間ではない。そこには同時に人生をよく見てその姿を明らかにしようとした人間がいたこと、その意味で人生の謎に立ち向かって行った雄渾な人間がいたことがわかる。これが同時にギリシア人の学問的思索となって現われると、あのすぐれた哲学となる。そこにはものごとの姿を見極めようとし、人間を尊ぶ精神があったことを意味する。だからその意味で賢くあることはギリシア人が最もよしと認めたことであり、それがやがて道徳的であり、人間として美しいことでもあると考えられていた。賢くあること、これが哲学者の願いであった。その賢さを以て見極め明らかにされたものには、黙々として従わねばならないとする精神がそこにあった。これは決して心の弱いものにできることではない。だがこの態度からは遂に救を説く思想は生まれえなかったのである。

二　罪と摂理

ギリシア人は禍ということを問題にした。がキリスト教は罪ということを終始問題としている。その罪とは何であろうか。旧約聖書にアダムとエヴァの話がある。これは有名だから一応誰でも知っている。だがそれは一応のことである。アダムとエヴァは、神からこの木の実を食べてはならないと言いわたされた。がエヴァは蛇に誘惑されてこの木の実を食べた。そしてアダムもエヴァに誘惑されてやはり食べた。が二人は食べ終ると自分達が裸であることに気がついた。そこであわてて木の葉をとって身につけた。そうしている処へ、神の声がきこえてきた。二人は裸の姿を見られるのを恥ずかしく思った。すると神は言った。何故お前達は隠れるか。隠れるところを見るとお前達は裸であることに気がついたのだな、裸であることに気がついたのなら、あの木の実を食べたのだなと。こうして二人は神の命令に背いた罪を負わされ、楽園を追われることになる。その罪の報《むく》いとして、アダムは額に汗して自らの食べ物をえなければならない。エヴァは子供を生まねばならない。そして共に死なねばならないということであった。ここにも人間は死なねばならないということが出てくる。

この物語にはいくつかの伏線がおかれている。だから理屈をいうとおかしなところがある。がそういう枝葉のところにこの物語の意味があるのではない。そうではなく、命令に背いたというところに重点がある。食べてはいけないと言われたものを、あえて食べた。だから禁を犯したのは人間の方だという形になっている。そこにもいろいろ理屈をいれてみる余地はあるが、いまそのことにはふれない。とにかく重点になっているのは、あえて命令に背いたのだから、当然その報いを受けなければならないと考えていることである。その報いがつまり死である。罪を犯したのだから、罪の報いを受けるのは当然だとする考えがそこにある。キリスト教的には、罪の報いは死なのである。

このことを前にのべたギリシアの場合と比べるとそこに考え方の上で大きなちがい

のあることがわかる。ギリシア人は禍と考えた。禍とするのは前にも言ったように、自分には責任がないと考えるからである。言わば、いつの間にかそういうところに追いこまれていたのである。人間であることは禍なのである。これは、禍を受ける主体の方から考えると、偶然だということになる。がそれを離れて客観的に見極めようとすると、そこには当然の理《ことわり》があるのだから、この当然の理に背かないようにするのが、賢い生き方だということになる。だが、罪だと考えると、その責任は人間にあることになるから、その罪を逃れるためには、態度を変えてそれを悔い改めなければいけないということになる。それは賢さの問題ではない。賢い態度をとって禍を受けないように努めるというのではない。

賢くあれば、禍を少なくすることができるとか、禍を受けてもそれを落着いて受けとめることができるとかいうことは、キリスト教では考えられない。賢いということは、人間の本性をきめるものではない。人間の本質をきめるのは意志であるとする。意志というのは人間のこころが向いている方向のことをいう。人間のこころが神の方を向いているか、神に背いて人間の方を向いているか、それが根本のことだと考える。アダムが神の命令に背いたのは、知恵の問題ではない。知恵をえて、いま賢くなろうとして、自ら神に背いたことを意味する。神の意志（命令）の外に出て、神から独立になろうとしたその意志がいけないとされるのである。神から独立に一人立ちできると思ったことがいけないとされるのである。

　ここに禍と罪の考え方の相違がある。禍は人間の責任ではなく、言わば降って湧いたようなものであるから、もともと逃れようもない。ただ賢い人間になってその禍の重荷が少しでも軽くなるような生き方をすべきであるとするのである。が罪を考えるのは人間に責任があるのだから、人間が態度を変えなければいけない。つまり、悔い改めて神の前にひざまづくのでなければならない。

　神の前に少しでも自分の賢さや力を認めてもらおうとする考えが残っている限り、その意志は神の方を向いているのではないから、神の救の中には入らないとされる。

神はそういう意味で、いつでも人間の意志を裁く神であるが、同時に神は人間を愛し、憐れみの目で人間を見ているから、人間が神の前に自己主張を止めて、自分を投げ出すことができれば、救われると考える。ユダヤ教では神は専ら裁きの神であり、峻厳な態度を以て人間に臨んでいるとされる。がキリスト教ではイエスが神と人間の中立ちになって、すべての人間の代りに自分を神に投げ出して十字架に死んでくれたから、このイエスのあがないを信ずるものは、神に嘉《よみ》せられると考えている。神は峻厳でありながらも、同時に愛の神として、人間に憐れみをたれていると教える。だから傲慢を捨て、神の前にへりくだってその愛を信ずるものが、救の門に入れるとする。だがその門は決して徒らに広く開かれてはいない。狭き門である。自らを捨てて信じることは、容易に人間にできることではないからである。

禍と考える態度は運命を考える態度に通じている。偶然出会った人間の禍の背後には、それをそうあやつっている何かきまったものがあるはずだ、と考える。そうすると、何とかしてそれを見極めたいということになる。その背後のものを人間の力で動かすことはできないにしても、それがそうなって行く理を知れば、その禍を小さくすることもできようし、それに出会った時にあわてずに対処することもできようと考える。それは合理的なもの、理にかなったものを尊重する態度を意味する。そういう形で、存在するものの真実の姿を見極めようとする態度が、ギリシアの哲学となって実を結ぶのである。ソクラテスは魂をよく気づかうことを人々に教えた。ふりかかってくる禍を除く努力をしたのではない。それに出会っても動揺しない自分になるように、ふだんからよく魂を気づかうことが大切だと教えた。そういう意味で従容として死を迎えることのできる人間になることを説ききかせた。死は恐るるに足りない、大切なことは、魂が不死なのだから、あわてず騒がず死を迎えることだというのである。これはギリシア的には最も賢く立派で美しく徳のある人間の態度と考えられている。

だから、運命を易えようなどということは考えられていない。そういう態度をとり、徒らにもがき苦しむことは賢者のとるべき道ではないとされる。運命に打ち克つ道は、黙って運命を受け容れる人間になることである。その意味で強い人間になることである。『コロノスのオイディプス』というソフォクレスの作品はこの間の消息を実によく語っている。その苦しさ、父を殺し、母と結婚するというような、人の世の最もいまわしい不倫に陥らざるをえなかったオイディプスの苦しさ、自らの眼をえぐって放浪の旅にのぼったオイディプスの出会うもろもろの苦難、それをなお生き堪えていかねばならないオイディプスがよく画かれている。

キリスト教ではしかし、人間の賢さというものを、人間の根本的なものとは認めない。だから合理的な知恵に価値をおかない。処女から生まれ、十字架に死んだイエスが、死の後三日にして復活したというようなことは何とも理屈に合わないことであり、ユダヤ人にとっては恥ずかしいことであり、ギリシア人にとっては愚かなことである、と聖書にも書かれている。その愚かなことを信じうるほどに、お前は神の全能の前に自分を投げ出すことができるか。そういう理屈に合わないこと、理性の目から見るとたわごととしか思われないことをも、その万能においてなしうる神、それを信ずることができるか。これがその中心の問題である。それは形の上のことではない。形の上で神に礼拝することではない。お前の意《こころ》がどちらを向いているか、それを神は隠れたところから見ている。だから神の前では何人も胡麻化すことはできない。人をあざむくことはできても、神をあざむくことはできない。神を信ずるとは、神に背いている罪深い自分を神の前に投げ出すことをいう。一切の人間のさかしらを捨てて神の前に立つことをいう。そこに初めて救の成り立つ場が与えられるという。

ソクラテスのいうように魂を気づかって、従容として死を迎えうるほどに人間は強くなれない。それは大変むずかしいことである。後になるとギリシア人は「心の平静」とか「不動心」とかいうことを言うようになる。どうしたら安心立命できるか、ということである。これは神によって救われるという考えではない。やはりどこまでも賢い自分となって、自分を肯定できる自分となろうとしたのである。

だがキリスト教では、自己肯定などということは許されることではない。自分は至らぬものであり、罪にけがれたものであることを深く認めなければならない。そうでなければ神は受け容れてはくれない。とはいってもこういう自分になるのには、世の中には余りにも多く躓きの石がころがっている。誘惑は至るところにある。ともすれば自分を肯定して、安きにつこうとする。その躓きをどうしたらはねのけることができるか。これは大変なことなのである。すべてを神の前に投げ出せと言われても、どうしたら投げ出したことになるのか。そこに定かな標準などはない。物指しで計れるような救の標準はない。まじめに努力して神の前に自分を投げ出そうとすればするほど、未だし未だしとする自分が頭をもちあげてきて、いつはてるともしれない。自分を打ち消そうと努力することが、自分をいやというほど感じさせることになるからである。救の門に入るのは生易しいことではない。

「ひとの義とせらるるは行によらず、ただ信仰のみによる」と教えられても、信ずるということがどういうことなのかという不安は決して跡を絶たない。親鸞上人は聖道門を捨てて、念仏の易行道に入ったと言われる。聖道門の自力による悟に達するよりは、念仏を唱えて成仏させてもらう方が、ずっと楽なことのように思える。だが、念仏を心から唱えて、仏にすがると言っても、そこにも自分にひっかかる人間はいつでも頭をもたげてくる。本願ぼこりと言われるものと念仏三昧とを形の上で区別することは、むずかしいことである。ともすれば、本願ぼこりに陥りがちな自分がいる。悪い自分をそのまま投げ出せと言われても、どうしたら投げ出したことになるのかという不安はそうたやすく跡を絶つものではない。

ルターが出会ったこともこれと似ている。だからさんざん苦しんだ末ルターは、「ただ信仰のみ」と言ったことになっている。そう言われてみても、どうしたら信じた自分になれるのかという不安はそれでなくなったことにはならない。親鸞が本願ぼこりに難渋させられたことはルターにも当てはまる。共に深い信仰に立って、苦しみに苦しんだ末言われたことながら、そういう過程を経ていない人々からはそのことが安易に受けとられる結果、逆にそこから思わぬ難題が出てくることになる。これは信仰に限らず、すぐれた先達のあるところに必ず出てくる問題である。

ギリシア人のように運命を達観するといっても、そこにソクラテスのような雄渾な精神がないならば、徒らに現実と妥協する人間ができあがってしまう。だからその雄渾な精神を失ったとき、あの輝かしいギリシア文明を以てしても、遂にキリスト教に打ち克つことができなかった。賢いギリシア人、ローマの賢者達にとっては、ライオンの餌食にされても、火あぶりにされても遂に信仰を捨てなかったキリスト教徒というものは、ただ驚きの対象でしかなかったのである。笑って十字架に昇るキリスト教徒をどうしても理解できなかったのである。賢者でも知者でもない。ありふれた人々がそういう態度をとって死んで行くことは、どうしても賢者達には理解できなかった。

心の平静や不動心を説いて、心の自由を保つことに、ローマの賢者は人生最高の態度を認めていた。だがこの人々は、「賢者は鎖につながれていても自由である」とする態度をとるとき、もはやネロの暴虐と戦う力を失っていたのである。そこに悪との戦いに身を捧げる人々はもはやいなかったのである。ギリシア・ローマの賢者達の徳はそういう結果になってしまった。自らは心の平静を保ちえても、世の悪徳と戦うソクラテスではなかったのである。

神による救ということは、同時に神による摂理ということを意味する。この世は神の支配する摂理のなかにある。何ごともこの摂理を離れることはできない。そう言われている。私が救われるのもこの摂理のうちでのことである。御心のままになし給えというのは、この摂理に対する信仰を言い表わしたものにほかならない。御心のままになし給え、と言いうるほどに信心堅固であるものにして初めて言いうる言葉である。

だからもともと摂理とは、信じて救われたと思うひとが、その救の有難さを告白して、自分が摂理の中に入っていたことの喜びを言い表わしたものである。主体的な信仰がこの場合にも大切なことなのである。救われたということが、自分からのものではなく、全く神からのものであると、摂理を認めるほどに、信仰堅きものがそこにいるのでなければ、摂理はひとごとでしかない。ひとごとのように、信仰を語り、摂理を語ることはいとやさしいことである。そこには信仰もなく、摂理への信仰もないからである。主体的にそこに身を以て立つ人間がいるのでなければ、摂理は普通の学問のいうような法則となってしまう。摂理をもしそういうふうに、客観的なものと受けとるならば、それは運命観と異なるところはなくなってしまう。

運命というもののほんとうの深い意味は、主体的にそれに出会った人の、自らの無力に対する歎息であるところにある。それが客観的にそういう定まったものがあるのだとすれば、運命観となって、主体の出会う問題の深さは消えてなくなってしまう。そうなると、運命などをいうのは人間の無知のためであるとする傲慢に転化することになりかねない。ただの諦めか傲慢かになってしまう。そういうことはギリシアの場合にも言えるし、日常のわれわれの生活についても言える。ローマの賢者達も結局そういうところに落ちこんでしまったのである。

運命の問題の深さは、それに出会う主体のあり方によって、意味をえてくる。がそれが固定して運命観となるときは、もはやその深さを失って平盤になってしまう。それに出会った人々の驚きと苦しみとは、あり来りの説明によって何でもないものとなってしまう。生きて苦しむ主体がそこにいないならば、それは偶然という意味を失って、平盤な必然に転化してしまうのである。その度毎の主体、この私が出会うものである限り、偶然のもつ重みは人生にとって計り知れない意味をもつ。その瞬間は時に全人生にも代え難いような大きな意味をもつ。その偶然が転機となって、全く別の人生を歩み出す可能性が、そこにある。つまりそれは同時に無限の可能性なのである。運命の偶然に出会うとは、そういう意味をもっている。

だが、それが運命観として客観化され平盤にされると、主体がそこにいて出会うという意味はなくなり、あたかもひとごとのようになってしまう。運命をひとごとのように語る人々がどんなに多いか。そうなると、摂理をひとごとのように考えるのと変りがなくなってしまうのである。だが運命をいうところでは救のことは根本のことではない。運命というときには、いつもそこに主体の対決が前提になっている。人間のあらがいえない偶然として、人間に迫ってくるものという形になる。屈服するか戦いとるか黙するか、そういう形で態度をとることがそこに予想される。

が摂理というのは、それとはちがう。それは救の問題と一緒にある。神の被護が前提されている。信じて救われたというのは、自分がこの被護のうちに入れられていたのだという自覚であり、告白である。その喜びを言い表わしたものにほかならない。だから、本来客観的なものではない。客観的に摂理を語るのは知識のことであって、信仰のことではない。ヨーロッパ人が歴史を神の摂理と考えて、そこに法則があるかのように言う場合には、それはもはや信仰の問題ではない。それは知識とされ、法則とされ、人間が見極めうるものになっている。摂理とはもともとそういうものではない。

運命は摂理とちがうけれども、主体の場において初めて意味が出てくる点では同じである。運命の場合は、より深く人間の自己肯定の前提においてあると言える。が摂理は人間の自己否定においてところをうるものである。運命は威力として否定的な力を以て人間に迫ってくる。がそれがそうであるのは人間の主体的自己肯定があるからである。だが、摂理の場合はその逆である。人間の自己主張のあるところには摂理はない。そこにあるのは亡びのみである。摂理において神の愛を感ずるのは自己否定を媒介としてのことである。それはいつでも神からのものである。

だが、運命が客観化されると平盤になるように、摂理も客観化されると平盤となり、人間くさいものとなる。が両方ともいつでもそういう形に落ちこむ危険にさらされている。それほど人間は運命にたえられないし、神を信じえないのである。だから、何とかして、人間の尺度でそれを計ろうとするのである。それが安心をうる理由だと思っている。がこのことこそ躓きの石だと言わねばならない。

三　運命と摂理

運命と摂理というのは、ヨーロッパの歴史を貫く二つの考え方である。これは中世を経て近代になってからも、表面的には変っているが、根本においてはそう変ってはいない。近代的な考え方はそういうことから独立したように見えるし、またそうだとも言われている。けれども、ことはそうかんたんなものではない。

運命と摂理というのは、もともとはちがったもの、むしろ逆の考え方から出てきたものなのだが、ヨーロッパの歴史が進むにつれて両方が交錯し、いろいろな問題を生むことになる。共に主体がそこにいるのでなければ、ほんとうの意味をなさない。だが、主体がいつもそこにいるというのは、自己主張がいつもそこにあるというのとそのまま同じではない。このことをはっきりさせるのは、大変むずかしいことである。

運命ということが言われるときには、人間の自己主張がそこにある。これは、人間が自分の思う通りでありたいと願うことに対し、いつでもそうはさせないぞと、その願いを打ち消すものがあるというふうに考えられる場合である。ギリシアの運命劇でもいつも人間の強い自己主張を伴って語られている。やみくもに運命が人間を否定するというような形にはなっていない。何とかして自分の正しいと思うことを実現したいという人間がいて、それがそうならないところに、人間を超えた何か威力のようなものがはたらくという形になっている。これを最もよく現出しているのは「アンティゴネ」というソフォクレスの作品である。この作品では主人公アンティゴネは並はずれて意志の強い女性として書かれている。それだけにそこから生ずる悲劇もまた壮大であることになる。だからそこにはいろいろに解釈できるようなことが書かれている。前に「オイディプス」のことを書いたときに、伏線がしかれていると言ったのもそういうことに関係があるからである。

だが、ここでよく考えねばならないことがある。それは、まず運命というものが客観的にあって、それを自覚した上で、それに対しアンティゴネが初めから自己主張を以て対決しようとしたのではないということである。そういうふうに考えると、運命というもののもっている意味がどこかに消えてしまう。そうではなく、運命があるかどうかに関係なく、ほんとうに自己の考えを貫こうとして出会ったもの、そこに運命と言われるものの意味がある。気がついてみたらそうであったという形になっているところに意味がある。運命というものを向こうに置いて、相手にとって不足のないものとしてそれに立ち向かうというのでは、運命というものに関係はない。そういうものではなく、あらゆる手だてを尽してやってみたことそのことにおいて、期せずして出会うものである。気がついてみたらもう既に運命のなかにいたのであり、いつでも遅すぎる形で運命に出会わされるのである。

そうでなくて、客観的に運命というものがあって、それと戦うのだということになると、戦いに破れるのは、そういう客観的なものに対し認識が足りなかったからであるということになる。よくしらべもしないでやるからだということになってしまう。科学的にいうと分析が足りなかったということになる。それでもなお且つやみくもにやるとしたら、それは暴虎《ぼうこ》馮河《ひょうが》というものである。そういう場合には無知で愚かな行動ということになる。そう批評するのは賢く分析してやればいいのだという考えがそこにあるからである。これは運命ということを語っているようで実はちがう。

賢者であろうと善人であろうと英雄であろうと、気がついてみたら落ちこんでいたというところに、運命をいう意味がある。だからそれはいつでも人間の力を超えたところで出会う問題なのである。それが何であるかわかってしまえば、もはやそれは運命の問題ではない。だから近代的なさかしらをそこに入れて考えれば、運命などとは愚かなことだということになるだけのことである。近代はそういう形で運命は進んで開拓すべきものだという思想を生み出したのである。これは運命などないと言っているのと同じである。

だから人間の自己主張がなければ運命の問題も出てこないとは言えるけれど、そういう主張などを超えて、或るとき或るところで出会わされるところにその意味がある。そういう意味で出会わされる主体の問題なのである。むずかしく言えば主体が瞬間において出会うものなのである。客観的に運命というものがあってそれに対し自己主張が対決するというのではない。それでは運命ではなくなってしまう。だが、しかもその運命に対決しようとする自己がいなければ、運命も運命にはならない。そこに主体的に出会うものだという意味がある。だから本来的には、愚者であるか賢者であるか、市井の人であるか後宮の人であるか、英雄であるか弱者であるかというようなことには関係なく、運命はある。言ってみれば人間誰でもが出会うものなのである。とはいってもオイディプスのような英邁な君主、アンティゴネのような女丈夫であった方が悲壮感は一層強くなるし、運命の切なさが迫ってくるのは、もちろんである。だが本質的にはそういうことに関係はない。本質的には人間誰もが出会うものなのである。もっとはっきり言えば、人間が人間であることが既に運命なのである。人間が人間でなければ、運命の問題などは初めからないと言ってもいいのである。

だから、運命ということをあれほどに語ったギリシア人は、結局それを「人間は死すべきものである」というところに帰着させたのである。ソフォクレスはアンティゴネに、「人間は種をまき畑をたがやし、着物を織り、家畜を使役し、なべての自然にまさっているけれども、死だけはどうにもできない」という意味のことを言わせている。「死すべきもの人間」これが運命をになった人間の姿なのである。動植物にはこの意味での死はない。ただそれはあるようにあるだけである。だが人間だけは「死」にかかずらう。このことがなければまことに天下泰平である。いやそういうこともまたないであろう。

異常なこと、いやなこと、苦しいこと、それらはみな、このことに関係している。なぜ死すべきもの人間などがいるのか、ということを考え始めると、どうにも処理できないところに出会う。そういうものとしてお前は生まれついている。これ以上大きな運命はない。だから運命というのは、何も異常なことを言っているのではない。人間がいるということが運命なのである。誰も好んで人間に生まれたものはいない。進んで生まれようとして母の胎内に宿ったものはいない。気がついてみたら人間だったのである。これは当り前すぎることなので、馬鹿馬鹿しいと感じられるようなことである。苦しみも喜びも人間のすることなすことは、だが、このことをおいては成り立たない。みな当り前に受けとって、何でもないような顔をしているが、実はこれが最大最高最深のことなのである。誰もそれに手をつけることはできない。賢者、英雄、大哲といえどもこの運命を背負わされている。それを考えぬこうとしたのがギリシア人なのである。

摂理というのはこれとはちがう。摂理をいうときはいつも神が前提になっている。

だから神の創り給うたものは、神の思召にかなっている。したがってすべてその通りに肯定さるべきものとされる。だがこのことは、前にも言ったように客観的なことではない。客観的に説明しうるものとして神があり、摂理があるというならば、神は人間の手のうちにあることになってしまう。人間が神を占うことができることになってしまう。そういうことを言いまた行う宗教があることは確かだけれども、キリスト教の場合にはそういうことは言われない。だから摂理というものも主体的に出会うものであって、わかっていることではない。

救われたと思う主体が、摂理のうちにあった自分に出会うのである。そうでなければ摂理は生きたものではありえない。運命の場合にも主体的な出会いに意味があるけれども、そこには神による救の問題は全く考えられてはいない。運命を強く語ったギリシア人が神による救の問題でこれを解決しようとしなかったのは、特異とすべきことであり、驚くべきことである。キリスト教の場合は初めから問題は神にかかっている。神の思召が客観的に何であるかは誰にもわかっていない。だから「御心のままに」なのである。その御心の何であるかは人間の預り知らぬことである。

四　裁きと自由

摂理は反面から言えば裁きである。何人も摂理の外に出ることはできない。ということはすべての人間は既に裁かれているという意味にもなる。一方で悔い改めよ、時は至れりと言いながら、他方では既にお前達は裁かれていると言う。それは客観的合理的に考えるとずいぶん変なことに、矛盾したことに思われる。既に裁かれているならば、今更悔い改めても同じことではないか、そういう疑問が起こるのは当然である。摂理というのは、予め定まっていることの意味である。人間の欲すると否とに関係なく、予め定まっているという意味である。だから既に裁かれているのである。

だがこのことを人間の尺度からかれこれあげつらうことはキリスト教的ではない、

とされている。私がキリストを選ぶというその意志において、同時に裁かれて摂理のうちにある自分に出会うのである。それしかあり方はない。救われたものが自らの幸を告白することがなければ、摂理とか裁きとかいうことを言っても無意味なのである。だから大切なのはやはり「私は信ずる」なのである。そこにこれまで見えなかったものが見えてくるようになる瞬間がある。だから、見るものは見よ、なのである。豚に真珠を投げ与えても意味はない。真珠を真珠としうる人間のいるところに、初めて真珠の価値が出てくる。それと同じで、御心がそこにあると思い、そこに「私は信ずる」と決断すること、そのことが同時に選ばれていることであり、摂理のうちにあることなのである。

とはいっても、これをそのままかんたんに受け容れることはむずかしいことである。だからキリスト教の歴史の中でも、幾度かこのことは問いかえされている。既に聖書自身がこの問題で苦しんでいる人間のいることを伝えている。お前達は既に裁かれているのだ、とヨハネ伝が語るのは、そういう問題があって、人々が苦しんでいたということの証拠である。そういうところに立つ主体のあり方を理解するのには骨が折れる。

そこに求められているのは、信ずる人間の自由とこれを自由であらせる神の摂理とが一つであるということである。このことは、客観的理由を求める人間にとってはそのまま躓きの石である。摂理が前提されていれば自由がなく、自由があれば摂理はないと考えるのが普通の考え方である。人間の立場から考えればそれが当然のことである。だからそういう形でキリスト教に疑問を投げかけている哲学者も何人かいる。頭から宗教を否定してかかる人の場合はここでは論外である。宗教を認める人でもなおそういう疑問をもつ。それがむしろ普通のことかもしれないのである。

客観的に論理的にものごとを考えようとするものからみれば明らかにこれはおかしい。それが逆説と言われる理由である。つまり、人間を初めから躓かせようとねらっているのではないかと考えさせるほどである。人間の主体を殺すことなく、同時にそれが神の摂理にかなっているとしているからである。それほど主体性、人間の自由、意志の自由を大切にしている。そういう一致の瞬間というものを大切にしているのである。そういう自由において自己を投げ出すということは、自己に関わって自己主張しようとするものには、容易にできることではない。キリスト教がどんなにさかしらな人間の知識や自己主張を否定しているかがわかる。それだけに心を空しうしうる愚かさが求められていることになる。そういう自己になったとき、ほんとうの意味での自己がそこにいることになり、神の摂理が現在していることになる。

だからキリスト教神学の長い歴史においては、この間の関係をどう考えるかということが中心の問題であった。ということはそこにギリシアの知恵がくちばしを入れたということを意味する。運命を客観化して考えようとしたところに、ギリシア哲学がはたらいているのであるが、キリスト教の場合にも、後になるほどギリシア哲学が介入するのである。つまり救の問題を理性的に何とか納得のいく形にしようとするのである。

聖書には、お前達は既に裁かれているのだということが言われているだけではない。

救われるか救われないかも既に神によって預定されているのだということが書かれている。これが有名な預定説である。もしこの考えを、運命がきまっているのだとする考えと結びつけるならば、そこには預定説とは言いながら実は運命観が支配することになる。そうだとするならば、信仰の自由などは意味をなさなくなってしまう。

この問題はキリスト教の全歴史を通じてあったことなのだが、特にこれに悩まされたのは近代になってからである。特にプロテスタント教会においてこのことが起こった。ルターのように考えると、安易な本願ぼこりのようなことになりかねない。事実その問題でルター自身苦しんでいる。が、もっと切実にこれに取り組んだのはカルヴァンである。預定されるというのならば、もはや何をしても無駄ではないかということになるかもしれないからである。してもしなくても定まっているのならば、何もしないに越したことはないと考えるのが人情というものである。

ひとの義とせらるるは行によらず、ただ信仰のみによる、という考えからすれば行によって救われることはないことになる。どうしてそういうことが言われたかといえば、行によって救われるとすれば、救の重点は行にうつるから、行をする人間に重点がおかれることになる、そうすると行を通しての人間の自己肯定が前面に出てくることになる。そうだとすれば、神による救は二の次になる。だが神の絶対性を認める立場からは、これはゆるされない。神の全能からみるとき人間の善行などは針の先ほどの重みもない。それを楯にとって神に救を求めるなどとは、人間が自己を主張することではあっても、神の前にへりくだることではない。

行において立派であっても、それは形に現われたことにすぎない。そのことはその人の心が貧しく美しく正しいことの証拠にはならない。だから、心のすみまで見透す神の前で大切なのは自分の貧しさをそのまま神の前に投げ出して神を信ずることである。そう考えるから、行は二次的なことになる。だがこのことは勝手な行をしてもかまわないと言っているのではない。ただ正しいことを行ったからという理由で、神に嘉せられると思うのはまちがいだというのである。そこには自分が自分がということがなくなっていないからである。大切なのは己を空しうして神の全能を信ずることだというのである。

この考えからすれば、行は信仰という点からみると重要な意味をもたない。そこへもってきて、救われるか救われないかは既にきまっていることで、人間の行には関わらないというようなことになり、何をしてもかまわないではないかというような考えをさそい出すとすれば、これは信仰上の一大事ということになる。これに答えるのは容易なことではない。

そこでカルヴァンは救われるか、救われないかは預定されている。それは神の全能に属することである。だから人間の物指しでは計れない。けれども、神の預定は人間の行に現われてくると教えた。行によって神が嘉し給うのではなく、行のうちに神の預定が現われてくるというのである。こう考えると進んで良き行をすればいいのだということになってくる。預定とか、摂理とかいうのは、人間の尺度では計りえないということを言っているのだけれども、それを人間の尺度で計ろうとすると、こういう問題が起こってくる。カルヴァンは新教徒の規律を維持するためにそういうことを言ったのであり、自分自身では俗信に陥っていなかったろうけれども、俗信をさそう根拠になったことは否定できない。

ローマ・カトリック教会の場合だとそういうむずかしい問題は僧院内のことで、俗世間のことではない。一般の信者は僧侶のいう通りにしていればよかったのだが、プロテスタントには僧院などというものはない。平信徒が大切な意味をもつのだから、教理の問題は同時に平信徒の問題になってくる。ここがプロテスタント教会のいいところであると共に、難点なのである。信仰の世俗化ということはいいことであり、それが多くのいい結果を生んだことも確かなのだが、同時に俗信に転化することになりかねない。カトリックとはちがった形の悩みがあるわけである。

預定は行の上に現われるということの真意は、人間の自己主張を認めるということではないのだが、結果においてそうなっていく。ましてこれが近代における人間解放思想と結びつくとき、そういう結果は一層促進されることになる。このことは、神の絶対性がいつの間にか忘れられ、行為を通じての人間の自己肯定が受け容れられる結果になって行くことを意味する。そこにはいい面もあるが、困った面もある。このことについては、学者の研究が数多くある。そういうむずかしいことにここでふれる必要はない。そういうふうになって行くとキリスト教そのものが、近代思想によって解釈し直されるようになってくる。これが近代キリスト教、特にプロテスタントの背負いこんだむずかしい問題の一つなのである。

摂理とか預定とかいうことを、客観的に理解しようとする傾向がそこから出てくる。これにギリシア的な運命を客観的に受けとった哲学が関与し、それを近代思想に合ったように考えるようになる。前に近代的には、運命は開拓さるべきもの、進んで自ら実現すべきものという意味をもつとのべておいた。これはもはや運命の否定である。摂理が行に現われるということを、だから良き行をすればいいのだと考えるのも、運命に対するそういう考えと結びつきうる。そういう形で近代的な人間肯定の思想では、キリスト教もギリシア思想も結びついて行くのである。だから、運命や摂理について、当初の人々やすぐれた信仰者が苦しんだ問題は形を変えてしまうのである。運命も摂理も人間の実現すべきものという形に変ってしまい、そういう形で、運命も摂理も言葉だけは残るが、その深い意味は否定され、人間が代って大きく前に出てくることになる。

五　摂理・運命と近代人

運命の前に恐れおののいて、人間の力の限界を深く感ずることも、摂理において神の全能を信じ、それにすべてをまかせその前にへりくだることも、近代思想の前では大きな意味をもたなくなる。むしろそれらは否定されるか、形を変えて解釈されるかしてしまう。近代合理主義の立場からすれば、それらは迷蒙からくることだということになってしまう。運命は進んで人間の開拓すべきもの、摂理は人間の行為によって計られるものとなる。神や運命が語られても、そこでものを言っているのは、神でもなく運命でもなく、人間である。神とか運命とかの名において語り出るのは人間なのである。

もちろん、かつての人々の場合にも、神とか運命とかいうのは人間の言うことなのだから、そこに人間が語り出ているのはいうまでもない。だから神を語るとき、その言葉はユダヤ的であり、運命を語るとき、その言葉はギリシア的であった。人間のすることだから、そうなるのは止むをえないことなのである。だがその場合に人々は、そういうことを語りながら、いつでも人間の無力を考えてそう言っていたのである。だから、神の摂理を信ぜよ、運命に堪えよと言うとき、それを人間の行や力に代らせようとは思っていなかった。人々はそういうものの前で無力な自分を意識して、へりくだった気持になることを大切にしていた。だが近代になると、人々は逆の方向に考えるようになった。そうなると摂理や運命を決定するのは人間だということになる。信ずべきは人間の理性であるということになる。

このことは、摂理や運命を真向から捨ててしまったことを意味するとは必ずしも言えない。むしろそれは、そのことを認めているかのようでありながら、実質的にはそれを否定してしまったということになる。どうして真向から否定しなかったかと言えば、そこには伝統の重みがあったからである。それほど深く摂理や運命ということは西欧の人々のなかに根をおろしていたのである。だから、真向からそれを否定して人間の力を謳いあげた場合でも、キリスト教やギリシア思想から、全く独立にはなりえなかったのである。この点では、そういう伝統のなかで近代思想を受け容れたのでない場合、つまり日本人などの場合とは大きなちがいがある。日本人の場合には、そういう伝統がなかったのだから、近代思想がそれと関係なく、そのまま受け容れられた。その代り日本人の場合は、それと日本の伝統との衝突に悩まされたし、西欧の伝統と近代思想の関係がよくわからなかった。このことは日本の明治の思想界を見ればよくわかる。

そういうわけで、近代思想の中にそういう伝統がなお深く入りこんでいた。別の言い方をすれば、そういう伝統が形を変えて近代的に使われたのである。たとえば、人間の歴史は摂理の歴史であるが、摂理は人間によって実現されるものだとする。人間は自由を実現し、わがものとするところに使命をもっているが、これは歴史を通して実現される。それがすなわち摂理が実現されることだとする。そういう考えが近代思想の代表者達によって語られ、今でもそれは大体において信じられているようである。

こうして近代人は人間の力を信じ、摂理を実現し、進んで運命を開拓すると主張して今日に至った。その間、近代西欧人は目を見はるような大事業をなしとげた。その限りでいうと人間の力はすばらしいものであり、それには限界がないように見える。人間の力は無限であるように見える。巨視的には宇宙をわがものとしうるかのようであるし、微視的には目に見えず手にとれない極微の世界を思うように制御できるかのようである。まことに、あれよあれよというほどに人間は大きなことをなしとげた。

東海道新幹線は、人間が直接運転しなくとも動かせるのだそうである。運転手はいなくともいいのだそうである。東京駅からの無線による遠隔操作によって、安全に動かせるのだそうである。わざわざ運転手のための仕事を少しばかり残しておいたのだそうである。これは新幹線に限られたことではない。宇宙ロケットのことを考えれば、これは別に驚くほどのことではないと言える。そこでは人間は主体なのではない。人間は機械の命ずるところに従えばいいのである。人間の勘に頼るより、機械に頼った方が安全なのである。大切なのは人間なのか機械なのかということになる。人間よりも機械の方が大切にされていることはまちがいない。

人間の心臓がかんたんにとりかえられるようになる日もそう遠くはないだろう。医術と薬学の進歩は病気を急速に克服し、人間を病気から解放する日が近いかのような有様である。かつての恐ろしい病気は今日ではもう忘れ去られたかのようである。

計算機の発達はその気になれば、人間についてのあらゆる情報を与えてくれる。そうなれば何ごともこれで解決できないことはないかのように思われる。計算機は産業社会においても、政治の世界においても、その他よろずの方面で急速に取り入れられ、万能であるかの観をもたらしている。

それらのどれをとっても、人間の力のすばらしさを示さないものはない。その背景には西欧近代思想がある。思想というものは恐ろしいものである。いつの間にか巨大で力強く、綿密に組織された力をつくり出してしまった。だが、こんなに世の中が進んできたというのに、人間は心のまよいをいまだにもち続けて悩んでいる。これほど賢いはずの人間がいと小さな心の悩みに堪えかねている。見方によっては、その悩みは深く大きくなっているが、少しもなくなってはいないと言える。人々は妖怪変化に悩まされることもなく、呪術にひっかかることもなく、もののけからは解放された。だからノイローゼはもはや狐つきではない。それにも拘らず、人々はノイローゼからも精神異常からも解放されてはいない。或る意味ではすべての人間が何ほどかノイローゼになっていると言えなくもないほどである。人間の力はどこにあるのだろう。

それだけではない。社会は今混乱の中に投げ出されている。人々は日夜警戒をおこたらないようにしていなければならない。安定などどこにあるのだろう。日本経済は歴史的な繁栄を続けているという。だがそのこと自身が人々を不安にかりたてている。中小企業がかたすみに押しやられているというような外形のことよりも、繁栄そのものが実は人々を不安においやっているのである。この繁栄を保つためにも、それに置き去りにされないためにも、繁栄そのものが崩れはしないかという不安のためにも、日夜奔走これ努めねばならないのである。大きく豊かになったというそのことがそのまま不安の種なのである。

世界を見渡してみるがいい。世界中が混乱しているではないか。西に東に、政治家はいくつ身体があっても足りないほどいそがしい。大国は大国なりに、弱小国は弱小国なりに、たえず不安におびやかされている。その昔独裁的専制君主は日夜身の危険を感じて、保身の術を考えていた。最高の権力をにぎることは、最深の恐怖にさらされることであった。権力なきものの弱さと不安のみを語ることが流行であるが、不安であったのは力弱きものだけではない。だがこのことは、その昔のことではない。最大の国ソビエトにしても、アメリカにしてもその不安は覆うべくもない。国民の生活よりも、まず尨大な費用を投じて軍備を充実することに余念がない。国内に問題がないのではない。あり余る問題をかかえながら、しかもなお浪費につぐ浪費を重ねて外からの不安に対処しようとしている。恐るべき爆弾をつんだ飛行機は日夜空にまいあがっている。

これが人間の賢さなのだろうか。これが人間の知恵なのだろうか。人間の力はすばらしいということが、人間の弱さの兆候なのではないか。人間は決して、かつての日より賢くなってはいない。文明社会の人間は野蛮や未開を嘲笑する。だが彼等は未開人より本質的にどれだけ立派になったのだろうか。野蛮なのはむしろ文明人なのではないか。大量殺人兵器を生み出すことに日夜奔走している文明人が、毒槍で敵をたおし、その頭蓋骨を飾りものにする野蛮人よりも、立派であると、どういうふうに弁明するのであろうか。相手の政治力を無にするために、あけくれ心をくだいている文明社会の政治家と戦国時代の政治家武将と、どちらが人間として立派であったのか。誰がそれを判定できるであろうか。

人々を日夜奔走させるこの巨大な文明社会、人間が自分の力と知識でつくり出したこの恐るべく豊かでしかも貧困な社会、そういうなかにわれわれは投げこまれている。

人間を尊重すべしというヒューマニズム、人間の個性を重んずべしというデモクラシーにもかかわらず、人間は今抹殺されようとしている。日々の交通地獄だの、公害だの、災害だのというのは目に見えるだけ、まだ処理の方法があるというものである。この巨大な社会自身が流す害毒に比較すれば、それらはいと小さなものだとも言える。

運命を軽蔑した人間は、今底知れぬ巨大な運命に翻弄されていないと誰が言いうるであろうか。神の摂理を人間の摂理に代えて、人間の知識を誇った人間が、今、神の摂理から審判を受けているのでないと誰が保証しうるであろうか。もちろん、それが運命であり、神の摂理であることは保証するものもない。だから、それが運命のしわざであり、摂理による裁きであるなどと、私は言うつもりはない。けれども、そういうことを軽蔑することによって、人間は何をえたのか、という疑問が残るのを何人も否定しえないであろう。

運命とは何か、摂理とは何か。そういう疑問を抱いて、それらを客観的に把握し、わがものとしようとした時、既に人間は運命や摂理を否定してしまったのである。それにはそれなりの当然の理由があった。それを今更その昔にかえすこともできないし、運命がある、摂理があると言ってみても、それで現代の知識を満足させることができるわけのものでもない。それにも拘らず、はっきりしていることがある。それは、人間は有限なものであるという事実である。このことは誰も否定することができない。不安があるとか悩みがあるとかいうことはすべてここから発する。人間が有限でなければこういうことは起こらない。

人々はいうかもしれない。人間以外の動物も有限ではないか。それなのに彼等にはそういう不安も悩みもないではないかと。それはその通りかもしれない。動物には動物の悩み不安があっても、人間にはわからないから、そういうのかもしれない。がそれは大したことではない。

天の鳥は紡がず蒔かず。しかもなお神は彼等を生かしておく。しかるに汝等は日夜おじおそれている。一体汝等は何を恐れているのか。そういう意味のことが聖書に書かれている。何故だろう。キリスト教的にはそれは明らかである。神を信じないからである。汝等の恐れねばならないのは神であるのに、汝等は神を恐れず、他のものを恐れている。それは汝等が神を信じないからである。キリスト教ではそう言われるであろう。

他の動物と同じように有限な人間が、しかもなお不安であり、悩みをもつのは何故か。それは、有限であることを知っているからである。その有限の最も端的なあらわれは、人間が死ぬということ、そして死ぬことを知っているということである。これは、人間が有限でありながら、そのことを知っているということを端的に示す事実である。すべての人間の営みはこのことに関係している。喜びも悲しみも、不安も悩みも、安定も、すべてみなこのことに関係している。ドストイェーフスキーは、「もし神がなければ、すべてはゆるされている」と言ったといわれるが、これを「もし人間に死がないとしたら、すべてはゆるされている」と言いかえてもよい。ギリシア人が「死すべきもの人間」と強く言い伝えたように、キリスト教が「罪の報いは死である」と言いきかせたように、仏教が生老病死からの解脱を人々に訴えているように、太古から今日までこの事態に変りはない。変っているのは、その死をどう受けとめるかということである。

死ぬということを知っていること、これが人間にとって一番根本の事実なのである。そういうものとして人間はここに投げ出されている。運命だとか摂理だとかいうのは、古めかしい表現であるが、結局共にこのことに対する人間の解答なのである。知識を誇る現代人が、それらに代るどんな明快な答えを出したか。それが問題なのである。運命だの摂理だのと、まことに人間の迷蒙を語ったものにほかならないではないかという。それはそれでよい。ではそれに代る何をもたらしたか。何かをもたらしたとして、運命や摂理に代ってそれが人間に何を与えたか。そこが最も大切なことなのである。

人々はいうであろう。人間の知識、科学がそれらに代るものであると。それはその通りである。だが、それが何を人間に与えたのか。それが現代のこの混乱なのか。それが救なき人間の不安なのか。そう言えば、不安をもっていたのは何も現代に限られたことではないと反駁するかもしれない。それもその通りであろう。だが、かつての日の人々の不安は、現代人からみれば知識なきための胡麻化しによるのだと言われるにしても、それなりの慰めをもっていた。そういうものすら現代にはない。或る意味では、日々人々はこの不安から逃れるために、気ばらしをやっているのだとも言える。これも胡麻化しの一つの方法でないとは言えない。だから、現代ほど歓楽の具にこと欠かない時代はなかったと言ってもよい。しかもなお、この歓楽こそは人間の悲しみを象徴するものにほかならないのである。現代の歓楽ほどにうつろなものが、かつてあったろうかと言いたくなるほどである。

六　「人間がいる」ということの不思議

あれこれといろいろ考えてくると、運命とか摂理とかいうことは、結局は、「人間がいる」ということに対する一つの解答なのである。だがそれは、「人間は何であるか」ということに対する解答ではない。そういう解答は知識が進めば進むほど上手になり、尤もらしくなる。が問題はそういうところにあるのではない。人間とは何であるかということについて、どんなにすぐれた解答が出たからといって、それは「人間がいる」ということに対する解答ではない。たとえばサルトルは「人間は無益な情熱である」と言っている。これなどはよほど考えた末に言われたことである。だがこれは「人間がいる」ということに対する解答ではない。運命だの摂理だのは愚かしいたわごとかもしれない。そう思っている人が多数いると思う。だがそういうふうに嘲笑する人々が、「人間がいる」というこの事実に、何を以て答えたのであろうか。

悩みがあり、不安があるという。社会的困難がある。世界は動揺している。そういう。それは人々の関心の的である。知識人達はあかずそれについて語る。がそれらのことは、「人間がいる」から起こるのである。人間がいなければ、己を知るもの人間がいなければ、そんなことは起こらない。このことはあらゆる問の手前にある。これによく答えられなければ、運命や摂理や、神や仏を軽蔑することはできない。そういう資格はない。一番大きなことは、「人間がいる」ということの不思議な事実である。これは、「存在がある」と言いかえてもよい。

人間がいることは何も不思議ではないと答える人もいよう。生命の発生が科学的に説明されうるようになった今日、人間がいることは何等不思議ではないと。まことに、説得力ある議論のように見える。だがそれは見かけだけのことである。人間が科学的に当然の理由があって、単純物質から漸次に進化してきたのだ、というような説明は、よしそれが全くその通りであるとしても、いつでも既に、「人間がいる」ということを前提としての議論である。人間が何であり、何から生まれたかを言いうるためには、既に人間がいるのでなければならない。これを先取りして議論は行われているのである。

世界がある。宇宙がある。人間がいる。これは全く不思議なことなのである。どんな科学といえども、このことを前提し、それを認めた上でなければ何も言えないし、何もできない。そこにはすべてを超えた不思議がある。これを不思議としないで、すべてを解明しうるとすることによって、問題が解決されうるとしたところに、科学と言われるものがある。だがそれは、いつでも「人間がいる」ということの後であって、先ではない。そこに絶対の不思議がある。この不思議に頭を下げることを忘れたこと、これが近代及び現代の最大の欠陥なのである。だから、近代人には運命や摂理やを嘲笑する資格はない。

こう言ったからとて、科学を否定しようなどというのではない。科学を否定しては今日誰も生きて行かれないからである。科学にはそれなりの充分な存在理由がある。ただ科学にも拘らず、「人間がいる」ということの不思議は消えてなくならないと言っているだけのことである。人間はこの不思議に驚かなくなってしまった。そこで人間は万能で無限であるかのような錯覚が生まれた。その錯覚が錯覚であると気づかれない。気づかれているなら、もっと別の考えもあっていいはずである。

宇宙を征服し、原子の秘密を解きあかすほどの現代が、しかもなお形の変った宗教や呪術を生み出していることを人々はよくよく考えてみるべきである。魔力を追放したはずの文明は、今えたいの知れない魔力におびやかされているのではないか。

何か悲観的なことばかり書いたように受けとられるかもしれない。だが、私の言いたいことは、こういう言わば否定的なことを無視して、肯定的なことを言うのはいつわりであるということである。こういう否定的なことにたじろがずに、そこに真に肯定的なものを見つけ出す「人間になる」ことが大切だと言いたいのである。「人間がいる」という不思議な事実を、驚く人間となることがまずその第一歩である。そんなことは当り前だと言っているひとは、私がこれまで書いたことに陥っていることを、自分では気がつかずに、自ら証明しているものである。限界の深さをほんとうに知るものだけが、無限を語る資格をもっているのである。

人間——有限——無限

初出：平岡昇・樫山欽四郎・井上幸治・飯島宗享・二宮敬・渡辺一民著『ヒューマニズム』（どう考えるか11）、一九七七（昭和五十二）年四月三十日、二玄社わが国では、humanism と humanitarianism が混同して使われる傾がある。もちろん、両方は全く無関係であるというのではない。前者は、近代西欧を貫く思想の根底にあるものである。後者は、これに無関係ではないが、いずれかと言えば、情緒的な生活態度の一種であって、人道主義とか博愛主義とか呼ばれるものである。ヒューマニズムは、もっと厳しいもので、人間中心主義とでも言うべきものである。その意味で、近代西欧の思想、生活のなかにいつも流れていたものである。だから、これを扱うとなれば、非常に広い範囲にわたり、複雑になる。或る意味では、近代的なもので、これに関わりの全くないものはないと言ってもいいほどである。

語義から言えば、ラテン語の humanitas からきているが、これはもと human nature, humanity (in good sense) の意味で、人間性というようなものをさしている。そこから humane, gentle conduct (towards others) の意味が出てくる。これは博愛ということに通じる。更に humanus は人間のとか人間らしいとかいう形容詞であるが、humaniora と比較級で表現することもある。人道的とか博愛とかいう意味がもちろんあるけれども、本来は人間に関わることを言ったものと、みることができよう。

そこで、近代の初頭に使われた humanism というものが、人間を回復するという意味で使われたことは、まずまちがいないであろう。その場合、前提になるのは、人間性が失われていたということであろう。つまり、自分たちに先立つ時代が、人間喪失の時代であったという認識に立っていたとみることができよう。その場合、人間性とは何を意味するのか。そう反問するとき、それは必ずしも明瞭ではない。

先立つ時代、乃至は当代が人間喪失の世であるとするため、それを抜け出そうとすることになるが、そのとき、では人間性はどういう形で求められたのか。それは、かつて、古代にあったとするところから、その動きは古典復活という形をとる。その意味で、この動きは古典主義の形をとり、そこに人文的なものを読みとる。だからヒューマニズムを人文主義とみて、古典復活のことだと考えることは、もちろん、まちがいではない。

更に、先立つ時代には、自然が失われていたとするところから言えば、ヒューマニズムは当然自然主義と関わることになる。以上のことは、それなりに、意味をもっている。

ところで、中世という時代は大まかに言えば、キリスト教の支配した時代、封建制の時代と言える。キリスト教と言っても、カトリックのことであるが、この教会の支配する時代という点から言えば、世界を神の支配の場所と考えているから、人間生活にとって最も大切なのは、われらのこの世ではなく、神と教会と僧侶だということになる。この三つを聖なるものと呼ぶとすれば、われらの世は俗であることになる。つまり、聖に対し俗をひくくみるという考えが、そこにあったことになる。これを標語のような形で言えば、sic transit gloria mundi（かくて世の栄光は亡び行く）となる。これは、教皇の戴冠式のとき言われる言葉だというが、ここに神、教会、僧に対して、世を低くみる考えがよく出ている。文字通りに、そうであったかどうかは別として、そういう考えが、大切なものとして、貫かれていたことは、一応認めてもいいと思われる。

　そこで、人間を回復すると言えば、この「聖」に対し「俗」を更めて見直し、高く評価することになるのは、当然である。聖なる世ではなく、俗なるこの世に生きる人間に焦点があてられることになる。この点から言えば、ヒューマニズムとは、人間のなかに栄光と尊厳をみつけようとする態度だと言える。人間のことは人間で充分で、他の助けをかりるには及ばない、というのがその考えとなる。この場合、他の助けというときの他とは、聖なるものをさす。だから、はっきり言えば、神、教会の助けがなくとも生きられるとしたことを意味する。これは表に出せば神を否定する態度となる。事実、近代を通じて、教会と学者思想家の争いは絶えなかったし、無神論がはっきり主張されるようにもなった。だが、当初ヒューマニストたちが、そのことをはっきり意識していたかどうかは疑問である。このことは、教会の側からも言える。このヒューマニストたちの考えていることが、教会に背くことになると、気がついていたかどうかについても、いろいろ問題がある。というのも教会がヒューマニストたちを遇する仕方をみても、一様ではなかったからである。

　人間以外の何ものにも左右されず、自由に明るくふるまう人間が、古典的世界にいたとする考えが、ヒューマニストたちにあったことはたしかであるが、もちろん、古典的世界がその人々の考えていたほどに、明るいものであったかどうかは別の問題である。むしろ、それは暗いものであったと、言えるかもしれない。だが、ヒューマニストたちが、先立つ時代、当代を暗い時代とみていたために、それを否定するものを古代に求め、そこに明るいものがあったと考えたのは、当然であったとも言えよう。いずれの時代が暗く、いずれの時代が明るいかというようなことは、かんたんに言えるものではない。いずれにしろ、ヒューマニストたちが、当代を、特に教会、僧侶をいかに痛烈に批判していたかは、エラスムスの『愚神礼讃』を読めば、はっきりわかる。

　哲学的に以上のべたことを言いかえるとすれば、すぐ思いあたるのが、ジョルダノ・ブルノである。このひとは、エラスムスより時代はさがるけれども、世界は無限であると主張したために、教会から焚刑に処されている。キリスト教の考えからすれば、この世は有限で亡びるものと考えられている。ところが、世界を無限なものと考えれば、神は、世界の外から世界を支配するものではなくなってしまう。神は世界の外から世界を支配すると考えるから、世界は有限となり、生まれて亡びるものとなる。だが、無限と考えれば、その「外」はないことになるから、始まりも終りもなく、亡びることもないことになる。その場合にも、神が在るのだとすれば、その神は世界の「内」に入っていなければならない。これは聖書の言うところに反する。だから、この説は禁止されねばならない。

いま、世界が無限だとすれば、すべては世界の内に入ってくることになる。いわば、無限のなかに吸収され、そこには中心がないことになる。つまり、世界をどこかで、しめくくる中心がないことになる。神が世界の外にあると考えれば、世界は神によって支えられることになり、その神を代表する教会は、世界の中心だということになる。だが、無限な世界のなかにすべてが入ることになれば、限界はどこにもなく、世界のうちがあるにしても、外はなくなる。この限界のないものには、中心がない。このことを逆に言いかえると、中心はどこにでもとることができるということになってくる。これを人間のこととして考えるならば、各人は、自らを中心とし、支点として、すべてを考えることができるということに、なって行く。こうなると、各人は世界の中心たりうるし、自らのうちに世界を宿すことができることになる。これが、小宇宙(Mikrokosmos)の思想を生むことになって行く。大宇宙に対する小宇宙で、各人は自らに大宇宙を宿すという考えになる。

そういう意味で、個人が大きな意味をもってくる。このことを更に徹底させて考えて行くと、デカルトの「私は考える、だから、私は在る」となる。これは、自らの存在根拠に自らを見つけたことになるから、中世的世界観からすれば、大変なことになる。ここでは私個人は、他の何ものにもよらず、自らにおいて自らであることが語られている。さきほど言った、世界の無限を語る思想は、こういう形ではっきりと支点をえたことになる。自らを支えるものは自らであるということになる。

もちろん、デカルトは神の存在を認めたし、神の存在証明さえやっている。そうだとすれば、人間は世界の支点ではなくなるのではないか。なるほどそう考えられはする。だが、デカルトの「神の存在証明」は人性論的証明と呼ばれるもので、「我在り」から引き出されたものである。巧みに神の存在を証明したように見えるけれども、その支点は「私は考える」にある。それが形而上学的体系となって、表に現われているところからすれば、第一実体として神がまずあり、心と物は、第二実体であるとされてはいる。つまり、神から世界と人間を説く形になっている。けれども、神が実体であるというようなことは、聖書的ではない。それに第一実体から第二実体が生まれ出たとも言っているわけでもない。いずれにしろ、デカルトの神の存在証明を支えているのは人間である。だから、ここには聖書的な神は考えられてはいない。

こうして「私は在る」を第一原理として、世界は物と心からなることになる。物はひろがりを属性とし、心は考えることを属性とする実体であると説かれてはいる。だが、それ以外に属性がないのだから、心は即ち考えることであり、物は即ちひろがりだということになる。それを徹底させれば、世界には、考えることとひろがり以外には何もないことになる。物が即ちひろがりであるとすれば、物は幾何学的なものだということになる。そうだとすれば、幾何学の法則を知っている「こころ」（人間）は、この法則を用いて、物を操ることができることになる。これはやがて、物（自然）征服の理論を展開するもとになるし、自然を幾何学的機械観的なものと見たことにつらなってくる。

もちろん、古い時代にも機械観的唯物論はあった。しかし、そこから、自然支配の思想は生まれなかった。それが自然支配の思想となる前提には、デカルトの「私は考える」がなければならない。私が世界の中心となるという考えがなければならない。これがフランシス・ベーコンになると、はっきり、自然征服の思想となり、知識は力であるという考えになる。この自然征服の思想は、西欧近代において初めて生まれたもので、ヒューマニズムを考えるとき、忘れてはならない考えである。なるほど、聖書（創世記）には、神が人間に自然を支配する権限を与えたと書かれている。だが、この場合は、神の御心に従うという前提があり、その権限を神から委ねられた形になっている。だが、近代の自然支配の場合には、神のことをもはや言う必要はない。ベーコンは神様のことは、ふれないでおこうと考えていたと言われる。

こう考えると、世界（自然）は幾何学的機械観的なものとなる。だが、近代の初めから、誰もがそう考えていたなどとは考えられない。ブルノとかヤコブ・ベーメというような人々に、そういう考えがあったとは考えられない。しかし、一度デカルトやベーコンの考えが、またスピノザの考えが、認められるようになれば、機械観的な考えがだんだん支配的になるのは、当然である。更に時代が下って、ニュートン力学が認められるようになると、その考えは一層力をえてくる。すでに早くガリレオがそういう考えの先ぶれになっている。こうして、近代初頭には考えられもしなかった形で、新しい世界観が生まれてくることになった。

もちろん、このような考えが、急速に一般の間にしみこみ、ひろがるとは考えられない。いろいろと、新しいものをはばむ要素が、根強くはたらいていたことは、当然考えられる。ニュートンのようなひとですら、引力説以外の点では、神秘家と言ってもいいほどで、科学的生活態度、人生観をもち合わせていたとは言えないと聞いている。だから一般の人々はおおよそ想像がつくと言える。デカルトもベーコンも、共に既成観念から解放されることが必要だと言っている。特にベーコンは、既成観念をイドラ（偶像）と呼び、これについて詳しく論じている。その一つ一つについて、ここで論じているひまはない。いろいろな形で人々の間に、いつの間にかできあがった既成観念というものが、われらの人生においてどれほど根深いものであるか、思いのほかである。ひとたび思いこみ、既成のものとなって、しみこんだことをくつがえすのは、容易なことではないからである。

だから、さきほどのべた機械観的な自然観は、人間と社会とにあてはめられなければ、世の中にしみこむのはむずかしいと言われねばならない。つまり、自然と人間とを観察する目が同じものとならねばならないのである。そこに生まれてくるのが、近代における自然法思想である。近代におけると特に言うのは、カトリックにも自然法思想はあるからである。これは、神を前提とするものであるから近代のとはちがう。近代自然法は、人間の生まれつき（naturellement）の自由と平等という思想ににあわれている。この生まれつきということに大きな意味をもたせるためには、情緒的なものとしてではなく、「学問的」に裏づけられねばならない。ここで人間のなかに、自然理論をもちこむことによって生まれた言葉が、社会という概念である。

この社会という言葉は、もちろん、ラテン語 societas が近代西欧語化され、それを日本語に翻訳したものである。この societas は fellowship, association, union, community などの意味であって、本来的には、近代語の society とそのまま同じ意味ではない。もちろん、それらの言葉が、社会に帰属されることは言うまでもないが、今日使われている社会という言葉は、人間が存在するところ、いつどこにもある現象の総体を貫いて、使われる、極めて包括的で普遍的な概念である。

かつて、歴史を動かしてきた人間生活を、包括的に表現する言葉は、例えばギリシアの polis のように、一定の地域の歴史的な人間生活を包括的に表現するものであった。わが国で言えば、藩のような言葉である。封建制というような場合には、封建的に領地を支配するものと、それに隷属するものとを含めていう。それらはみな、地域的であり歴史的である。ところが、近代西欧に成立した社会という概念は、地域の特殊性の前提において、またその歴史的特異性の前提において、言われたものではない。むしろ、それらを貫いていかなる特定の人間集団にもあてはまるが、そのままそれらの特定集団のいずれでもないような、普遍的な概念である。そういう意味での抽象概念なのである。言ってみれば、歴史的に縦につらなってきた特定の人間集団現象を、横に断ち切り、横に貫く概念である。

もちろん、普遍という言葉は、ギリシアのカトリコス katholikos などの形で、古くから使われ、カトリック教会という言葉もここから出ている。近代西欧人は、人類という普遍的意識乃至思想は、原始キリスト教に始まるという。だが、その場合この言葉が近代に成立した、社会という概念を表現するような意味で用いられたとは考えられない。人類という考えが原始キリスト教から発するとしても、むしろ、それは近代人が原始キリスト教のなかに、そういう考えを読みとったと見るべきであろう。だから、人類（human beings）という言葉も、社会というのと同じように、近代の所産である。ただ普遍的というような意味でいうならば、仏教などもそういう意味をもっている。だが、これもまた原始キリスト教の場合と同じように、近代のいう人類とか社会とかいう意味をもっていたとは考えられない。ヘレニズム時代にcosmopolitēsのような、コスモポリタンに近いものが考えられたと言ってもいいが、政治や文化が、polisを超えた地域に伝播したことに関連して言われるものにほかならない。だから、そこに、近代人の言うような普遍的社会が自覚されていたとは考えられない。

いずれにしても、近代に成立した社会という概念は、言葉の由来は古いにしても、今日使われている意味では、古いものではないと見ていいと思われる。何故そうかと言えば、この概念が近代に成立した自然の概念を前提としているからである。この意味の自然が、前にのべたような幾何学的力学的自然であることは明らかであるが、その意味でこの自然という概念は、近代以前に歴史的に使われてきた自然概念を脱していることはたしかである。そういう近代自然科学のいう自然は、言ってみれば、どこにもあるけれども、どこにもないと言えるような、抽象概念である。そのなかには特殊的具体的なものは含まれていない。含まれていないという言い方が、極端だとするならば、その学が対象としているのは、特殊現象ではないと言った方がいい。特定の例を用いて観察し実験するにしても、そのことにおいて認識しようとしているのは、普遍的なものであって、その限りで抽象的である。私の言っていることは、一見普通の考えとちがい、逆のように見えるかもしれない。というのも、人々は自然科学の自然は具体的だと思っているからである。これについて詳しく論じているひまはないが、これからのべることで、わかってもらえると思う。

したがって、近代において社会というときには、この自然観を前提とし、背景としているから、当然普遍的で抽象的にならざるをえない。はっきりした形で、社会という表現が使われるようになるのは、ルソーなどに代表されるように、十八世紀になってからであろう。そうなるまでに近代の初頭から、人文主義や政治思想を通じて、次第に言われ、明らかにされるようになったのではあるが、はっきり、自覚的に言われるようになるのは、十八世紀も半ば以後のことであろう。もちろん、自然的と言っても、幾何学や力学がそのまま人間の社会に適用されるわけには行かない。自然科学の方法論を人間社会に適用することによってまず、考えられたのが人間の生まれつき（naturellement）ということである。これは伝統や歴史的前提やをぬきにした普遍的な意味をもっている。その場合、生まれつきとは言っているものの、生まれつきということで、実は、人間の本来ということが考えられているのである。当然そこには、本来あるべき人間の姿ということが考えられている。生まれつきが本来であるという考えが、そこに成立する。言葉の意味から言えば、生まれつき、言ってみればある通りということと、本来というのは同じではない。それが同じだとするのは、自分たちが本来と考えるものを、自然のあるがままだとしたことを意味する。生まれつきというのを本来だとするのは、実は生まれつきが、自分たちの考える本来であるべき（はず）だとしていることを意味する。

そこに無理がある。それを無理と思わないのは、前にのべた自然観が前提となり、そこにほんとうの自然があると思われているからである。そこで人間の世界もそのように、普遍的に学的に考えられねばならないとする考えがあり、それに動かされているからである。幾何学的力学的自然が自然のある通りのものではなく、自然をその角度からとらえたものだというような自覚が、はっきりしていなかったからである。つまり、そのときの自然科学こそ、学の模範であり、人間や世の中について考えるときも、その範に従わねばならないと考えられていた。だから、一切の歴史的状況や、伝統、習慣を脱したところに、それ自身なる人間がいると思われたのである。それは本来それ自身なる人間がいるはずだと考えられた。それが、人間の「生まれつき」という言葉で表現されたのである。だから、生まれつきというのは、そういう思想的前提で考え出されたものである。ある通りとは言っているが、その思想から言って、それがあるはずだとされているのである。

そこに出てくるのが、合理的ということである。合理的であることが正しいことであり、それが自然の本来であると考えられ、それが人間に適用されることになる。だから、人間も合理的であることが本来だとされるようになる。つまり、健全な悟性の持主が尊重されることになる。この考えを社会にあてはめると、現にある社会は余りにも不合理にみちていることになる。歴史的重荷を背負っている特定社会というものは、かつて合理的であった試しはない。そこでこの不合理を批判し、改めようとするところに、合理的社会に対する要望が生まれる。これが近代における社会思想の生まれる前提である。

そこにいろいろな社会思想が生まれるが、それらはすべて、現存社会の不平等という不合理に目をつけ、そこに人間本来の自由がないと考える。だから、自由と平等を人間にとりかえし、それをさまたげるものを改めるべきだとする考えが生まれることになる。これが十八世紀後半のイギリスにおこる啓蒙思想となる。これはフランスでも、おくれてドイツでも言われるようになる。これは enlightenment, lumière, Aufklärung などと言われるが、いずれも、光もしくは明るくすることを、意味する。

それは合理的な光にてらして、不合理なもの、歴史的伝統、習慣などを解明し批判することを意味する。それは政治や文化など人間生活の全面にわたる。その光が宗教にあてられるとき、やがて無神論となって展開する。

この動きに最も大きな影響を与えたのは、ロックとルソーであるが、ルソーは必ずしも合理主義者ではない。だが、時代の風潮としては次第にいまのべたような方向に動き、やがて革命に通じて行く。この限りでいうと、ヒューマニズムは、近代初頭に起こるにしても、このような形になるのには十八世紀までかかったのである。ルネッサンス当時人間復興が言われたにしても、このようなはっきりとした合理的精神によって、一切の伝統的不合理に挑戦するというような形はとっていなかった。現存の社会組織そのものを否定するような思想にはなっていない。エラスムスには世の中の仕組みそのものを、変えようとする考えは見られない。むしろ教会そのものは、是認されている。それにもかかわらず、近代初頭以来の思想の根本には、無神論に展開するものがすでに含まれていたのである。さて、いま合理的なもので不合理なものに挑戦すると言ったが、西洋における非合理のもとはキリスト教自身にほかならない。だから、その非合理を不合理として批判することが、啓蒙思想の態度とならねばならないことになる。その意味で、合理的なものを存在の根本とみる哲学が当時はたした役割は、大きかったと言わねばなるまい。

　それにしても、こういうはっきりとした形をとって現われるまでに、永い期間を必要としたのは、この合理主義が根をおろすために、もろもろの抵抗があったことを意味する。それほど伝統とか習慣とか言われる、歴史的なもののもつ重味は、いかなる時代でも、大きく深いのである。それは現代まで続いていると言っても、言いすぎではない。だから、哲学や思想の上でも、合理主義がいつでもそのまま認められていたのではない。例えば、カントなどは、自然を幾何学的力学的なものと見ると同時に、目的論的なものとも見ているし、人間が人間であるのは、意志の主体であるところにあるとしている。だからカントは合理主義を超えようとしている。この意志の自由という考えは、カントがルソーに負うているのである。それにも拘わらず、この啓蒙時代に至って、合理主義が思想の面で時代を覆うようになったことは、言ってもいいと思われる。合理的なものを以てすれば、自然にも、歴史的伝統にも克ちうるという信念が生まれたことはまちがいない。あれこれ考えるとき、十八世紀までの代表的近代思想が、人間の尊厳を根本においていることは、はっきりしている。つまり、ヒューマニズムはそういう形で実を結んだのである。だから、この立場から神を認める場合があっても、それは、聖書的であるよりは、理性的哲学的で、その意味では人間の側から考えられた神となっている。このために、たとえばカントなどは、自分では無神論者ではないとかたく信じていたが、教会からは、不敬の扱いをうけているのである。人間優位の思想がカントを貫いているからである。自然について知っている人間は、自然に優越すると考えられ、自由を意識している限り、人間は自然を超えて優位をもつと考えたのである。これが、ヒューマニズムの一つの、或は、当然の帰結なのである。

では、その場合、キリスト教はどのように対処してきたのであろうか。ここに問題になるのが、宗教改革と呼ばれるものである。この運動がルターに発することは人々のよく知るところである。十六世紀というあの時代に、エラスムスやトーマス・モアと時を同じうして、ルターのとった態度はどういうものであったのだろうか。ルターの考えを近代思想と受けとるひとがいるけれども、私はそうは考えない。この宗教改革の発頭人は「ただ信仰のみ」(sola fide)と主張したことになっており、その信仰は、聖書の言葉を信じることだとされている。その信仰箇条の詳細にたちいることは、いまの場合、できない。ここでは、それが近代思想ではないと思われる点だけを指摘しておく。何よりもルターは人間を神の僕と考え、その限りで、人間は自由ではないと考えている。人間が自由であるというのは、神の僕である限り、この世から自由であるというふうに説かれている。だから、近代的な意味での人間の自由、自然的存在であることが自由であることを意味するというような自由を、この改革者に見つけることはできない。このことは、エラスムスの眼が、この世の方に向いていて神の方を向いていないと言って、きびしく非難したことからも言える。ルター的には、神は、人間にとって絶対的であったのだから、近代的自由などは思いもよらなかったと思われる。

だが、その考えからするとき、信ずる主体つまり平信徒が中心となるべきだとなるから、教会はカトリックのように絶対犯すべからざる、この世の権威だというふうにはならなかった。その意味で、教会の仲介なしに、直接神に対するということになるから、そこに近代性があるように思われないでもない。「私は神を信じる」ということが中心になるから、教会は、本質的には、中心とはならない。神と人間の媒介なき直接関係をとなえた点で、近代的であるように見える。だが、これだけのことならば、中世にも、その例を見つけることはできる。たとえば、聖フランシスである。このひとは、言わば、乞食坊主であって、教会から正統と認められたひとではない。後に、フランシスコ教団が生まれるようになり、この人は聖者に列せられはするが、このひと自身は、むしろ教会の外で、神と直接相対していたのである。生きたキリストと思われるほどの人であったが、在世時に、教会の権威によって承認されたのではなかった。

いずれにしろ、ルターを近代思想の持主と見ることはできない。それが、カルヴァンなどを経て、プロテスタントとなって、北欧で展開して行く間に、次第に近代思想と関わりをもつようになる。その間の詳細をここで語っているいとまはない。ただ、近代思想と関わりをもつようになり、組織化されるに至って、プロテスタンティズムは、どうしても、聖書そのものに全く忠実というふうではありえなくなって行く。特に啓蒙時代の主知主義的合理主義によって、照らし出されるとき、いやでも、近代化の道を歩まざるをえなくなる。これが、聖書の原典批判というような形になるだけではなく、哲学的神を神学のなかにとり入れるようになる。そうなると、キリスト教は変わらざるをえなくなる。その間につまれた学問的業績は、大変なものであるけれども、そのことと聖書的信仰が保たれたかということは、別のことである。この問題はこの程度に止めておく。いずれにせよ、宗教改革を近代思想と同列にみることは、まちがいである。だが、時代の動きと共に、その神学が変わって行ったことは認めねばならない。だが、それが近代化することは、キリスト教信仰の否定になりかねなかったことだけを注意しておく。

さて、これまでのべた自然観は、同時に人間観、社会観に通じて行く。が、これは、歴史的伝統、習慣を横に切断し、それを超えて、自然や人間の本来に立って、両者を普遍的なものであるとする考えであったと、前にのべておいた。あらゆる時代を超えて、あまねく妥当するという考えがそこにあった。これは、当時の大陸の合理論、英国の経験論の別なく言えることである。合理的真理と言われるものに到達する途のちがい、それが両者のちがいである。だから、人生が合理的でなければならないとする信念が、その前提にあることは、両者に共通している。だが、ここで考えてみなければならないことは、それが、当の合理性を主張した人々の考えていたほどに、絶対に信ずべき普遍性であったか、ということである。はたして人々のいうように、歴史を超えて、人類普遍の場に立ちえたのかということである。このことは、これからのべることが、おのずから証明すると思う。だが、先まわりして言うならば、歴史を否定して普遍的であろうとするこのことが、実は極めて歴史的であったということである。それは近代、特に十八世紀という歴史においてなりたったことであるが、そのことにおいて、やがて自己疎外におちいることになる。それが、現在われわれの直面していることであり、これからのべることである。そこにヒューマニズムの一つの帰結がある。

さて、技術社会という言葉がある。これは、近代、特に十八世紀末から、十九世紀、二つの世界大戦を経て生まれた文明に名づけられたものである。自然科学というものが、そのまま直ちに技術につながるとは限らない。技術はすでに古くから、自然科学以前にあったからである。技術がなければ、ピラミッドは作れなかったろうし、コロセウムも奈良の大仏も作れなかったろう。それは、からくり人形についてまで言えることである。だが、そこに近代に生まれた自然科学があったとは言えない。近代の自然科学は、観察と実験という近代当初からの方法に担われていただけではなく、すでにのべたように科学を通じて、自然を征服するという思想に担われていた。これが、自然法則の数量化という方程式によって導かれるとき、自然に従うことを通して、逆に自然を人間的に再生させる方向を生み出した。これが機械と呼ばれるものである。機械は極めて人間的なものであり、今日の機械は人間の頭脳の精密な姿をそのまま語っており、その意味で極度に人工的なものではあるが、それは、もとを正せば人間が自然を人間的に再生させたものにほかならない。近代自然主義が近代文明という巨大な機械技術を生み出した。そこに生み出されたものは、およそ自然とは似つかぬものであるように見える。

だが、それは、最も自然的であろうとし、もろもろの歴史的権力から自然を解放し、自然に生きようとする願いの前提がなければ、生まれなかったものである。そこに、自然とはそもそも何であるかという、大きな問題がひそんでいる。そもそも自然そのものとは何であるか、これは誰にもわからない。自然に帰れという、近代初頭の願いは、その願いにおいて自然をみていたのである。だから、それは普遍的超時代的であると言いながら、その時代の人間にとっての自然であった。つまり、そういう自然が歴史的に求められていたのである。だから、自然そのものというようなものではなかった。だからこそ、それは人間の手のうちのものとされえたのである。それが科学技術文明という、巨大なものとなって出てきた。それは、驚嘆に価するものであり、そこに人間の「偉大」さというものが、目のあたり現われている。これこそヒューマニズムの勝利にほかならない。これを絶対的ヒューマニズムと呼ぶことができよう。そこに人間の自信がはっきりと現われているからである。ヒューマニズムはその限りで、どれほど謳歌しても、し切れないと言ってもいいほどである。

それにもかかわらず、現代を覆う、この否定的な気分は何を意味するのであろうか。ヒューマニズムの勝利のときは、その敗北のときであるかのようですらある。若ものたちは、いま「白け」ているという。諸々の価値に対する不信というような、生やさしいものではなく、全く「白け」切った気分をもっていると言われる。最も巨大な文明が生み出された今、そういう気分におそわれているという。漫画の流行は何を意味するか。かつては漫画は時代に対するささやかな諷刺、ささやかな抵抗でしかなかった。それは文化の真中に入りこんでくるようなものではなかった。だが、いま漫画はもはやささやかに、横目で人生をにらんだカリカチュアではない。そこにこそ人生があるという意味をもって、まかり通っている。漫画以外の何があるのか、人生そのものが漫画ではないか。それが白け気分ではないか。

或る人々は、これを思考の放棄だと言い、人生に対する敗北を、短刀直入に覆いかくすものだと言う。だが、彼等に与えるべき、価値を、誰が現在もち合わせているのか。全く無意味に笑うことそのこと、それ以外にどこにいま生きる場所があるのか、と言っているように思えないであろうか。これがヒューマニズムの絶頂において、若者たちが出会ったことだとするとき、その若者に、代るべきいかなる価値を、大人たちは与えうると思っているのであろうか。

それはそれとして、この巨大な文明は、同時に、巨大な富の集積とそれを可能にする社会とがなければ生み出されるものではない。それを生み出した社会というものも、近代ヒューマニズムの生み出したものである。自然の原理が人間に適用されるところから生まれた社会、人間の手によって作りかえられた社会がそこにある。古代にそして中世に、社会を人間の手で作りかえうるという思想は存在しなかった。だが、西欧近代は、自然原理（自然権の主体としての人間原理）を以てして、社会を自ら作りかえることができると信じた。それは、自由と平等の社会という名のもとに生み出されたものであった。それは、同時に、自然をさん奪する社会を生み出すと共に、大衆というさん奪さるべき社会を生み出した。巨大な富の集中とさん奪さるべき大衆がなければ、この巨大な文明はつくり出されない。

このことは、現代のいかなる社会形態の場合でも、この巨大文明をになうものである限り、この大衆と富の集中がなければ果たされえないことである。かつてピラミッドは、コロセウムは、大仏は、奴隷もしくはそれに似たものを使うことがなければ、作られなかったであろう。そこにも権力の名において富の集中は行なわれていたであろう。だが、現在の場合は、それに似ているように見えるが、同じではない。

　それは、自由と平等の名において、人間を解放するという前提から出発した社会である。そこには奴隷はいない。かつての専制君主もいない。すべては自由と平等の名において行なわれている。社会組織の異なりによっても、その名は消えてはいない。大衆と巨大な富の集中、この二つが、科学技術を駆使し、またそれによって駆使されるところ、そこに生まれる現象である。これらの条件を具えなければ、その社会は現代から脱落するよりほかない。大衆とプロレタリアートは同じではない。現代の大衆はすでに貧民ではない。団結すれば、それは巨大な力をもち、権力を動かしうるものである。しかも、大衆であることが、それによってなくなるのではない。

　このことは、考え方によっては巨大な平等社会の出現と見ることもできよう。働き蜂の大群という限りでの平等社会である。そのことにおいて、近代の最も求めた自由はどうなったのであろうか。或る人々はそこにあり余る自由があると言い、或る人々は全く自由をうばわれた蟻の大群をみる。そのいずれが当っているかを、ここに論評しているいとまはない。

この大衆平等社会は、自由の前提においてつくりだされた管理社会である。そこにある自由というのは、管理された自由である。いかなる発言も自由であるにはちがいないが、同時にその発言は、この巨大社会のなかに吸収されてしまう。自由な発言は個人の自由を前提する。そのとき、個人という人間の尊厳が認められることになっている。だが、その発言は、ひびきとなってこだますると同時に、大衆社会のなかに、消えて行くよりほかない。そこには、巨大な技術文明と巨大な大衆社会という、不動の管理体制がある。自由と平等を願って生み出されたこの体制は、働き蟻の平等と、あることにおいてない自由を生み出す結果となった。この体制はひとにぎりのエリートによって充分管理されうる可能性をもっている。そこから独裁体制への移行は一歩を余すのみと言ってもいい。

巨大な技術社会にしても、巨大な大衆社会にしても、ひとにぎりのエリートによって握られうる可能性をもっていることは、何人も否定しえないであろう。人間の栄光と尊厳をうたう前提において生み出されたはずのものは、それを否定する結果となってわれわれの前にある。

もちろん、これを否定し、批判する思想がなかったわけではない。それは、哲学的には、合理性に対する非合理性の追求となって現われた。ここで、一言注意しておきたいのは、不合理と非合理を混同してはならないということである。不合理というのは、まちがいという意味を含んでいる。だからそれは、まちがいを正せば合理となりうるものである。だが、非合理というのは、初めから合理の埒外にあるものであって、合理の手の届かないものを意味する。まちがいということには関係がない。例えば、何故に世界があるのかというようなことは、合理の手のとどかないことである。神が世界を創ったと仮定するにしても、そのことで合理的であるという説明はつけられない。更に、神を前提しないとすれば、世界はあるからあるというよりほかない。このことは何等合理的なことではない。

この非合理はすでに早くから問題になっていたことであり、absurdum というラテン語で呼ばれていた。そのことを、近代的な形でいち早く指摘したのがヘーゲルである。それは自己疎外（Sich-entfremdung）という用語で言いあらわされた。これは、ヘーゲルが十八世紀という同時代のなかに読みとったものである。自らの意図で自らの力でつくり出したものにおいて、自らを否定することになるということを意味する。このことは、何ものにも左右されることなく、自由に自己措定、つまり、自己確立ができると信じる自己がいるという前提がなければ、起こりえないことである。そういう意味で、自己疎外とは、自らのつくったものにおいて、自ら亡びるということを意味する。ヘーゲルは、十八世紀につくり出された社会のなかにこのことを読みとったのであり、それの代表的なあらわれがフランス革命であるとしている。このことを十九世紀の社会、経済組織のなかに読みとったのがマルクスである。だから、この二人は近代そのものに疑いをもった最初の例である。

これが更に、ドストイェーフスキー、シュティルナー、ニーチェ、キルケゴールとなるとき、それは明らかに近代そのものへの否定となって現われる。マルクスには、技術文明そのものへの疑いは示されていない。ただ、それが特定の階級の所有に帰せられることを否定したに止まる。だが、いまのべた人々は、近代文明そのものの帰結に対して疑いをもっている。つまり、ヒューマニズムそのものに疑いをもっている。ドストイェーフスキーは作中の人物に、神なきところにいる人間は、神のないことを証明するために自らを殺しうるものでなければならないとする。そこに、神を否定する人間の存在理由があるとする。神なきところに生きるという、人間の独立宣言こそヒューマニズムの本来だからである。ニーチェは、神を否定したはずの近代が、神から独立たりえていないことをはっきりと指摘した。神なきところに立つ人間は、だから没落しなければならない。没落することの自覚において、永劫回帰の主体とならねばならない。だから、考え方によっては、ヒューマニズム近代の否定において、ヒューマニズムを説いたともみることができる。更にキルケゴールは、近代の神学がすべて人間の肯定であって、神の肯定ではないことを指摘する。神の名において神を否定してきたと指摘する。このことを認めて、絶対的な有限者、罪の主体であると自覚するとき初めて、人間は絶対的な神の前に立ちうると主張する。そのとき、人間は全くの孤として、信の瞬間に立つ。その瞬間以外に信じる個はいないとする。その瞬間に立つ個人がつまり、実存であるとする。だから、信の真実は主体的な個のなりたつ場にしかないと主張する。この考えは、プロテスタント神学を否定すると同時に、個人を埋没させてしまった近代社会に対する文明批評の意味をもっている。これを側面からみれば、自由と平等の主張に裏うちされた近代ヒューマニズムに対する、否定になっている。つまり、個人を生かすことを前提したにもかかわらず、そこには個人はいなかったという主張になる。

いずれにしろ、これらの思想に共通することは、近代社会が最も信じてきた合理主義、つまり自然主義にもとづく合理主義に対し、非合理的なものをうち出している点である。一様に、人間の小ざかしい自己主張に対する憫笑の形をとっている。ニーチェが民主主義に対し、痛烈な批判を投げつけたとき、そこに考えられていたのは、自由と平等の名において、人間が矮小化されていることに対してであった。力をあれほど言ったことのなかには、ヒューマニズムの偽善に対する痛烈な非難がこめられていたのである。

人間の尊厳とか栄光とかいうものを前面におし出し、敬神に代って人間に対し敬虔であることが説かれ、それによってえられたものが、技術文明と大衆化社会である。その理論的根底にあったものは、自然の法則に対する信頼である。だが、この法則は人間自身のものとなるとき、自然とは凡そ逆の現象を生んだ。自然は逆に破壊され、人間をも危険な状態におとしいれた。このことは結局、人間は自らの主たりうるかという問題を、新たに提供する結果となった。神なしですませ、人神たろうとすることが、破綻に出会ったと見てさしつかえない。

「汝ら善悪の尺度を決定せば、神とひとしくならん」という、古の蛇の歌があらためて意味をえてくる。善悪の規準を人間に置き、善悪の主たらんとすることにおいて、しかも、自らを決定しえない自分に出会った。自らの主となることはできなかったのである。善悪の彼岸に立ち、民主主義の偽善をあばき力の主体たらんとしたニーチェすら、「あったは意志の歯ぎしりである」と言わざるをえない。存在の負目がそこにあることを如何ともなしえない。「存在という刑罰」（Strafe "Dasein"）を「生成の無罪」（Unschuld des Werdens）で受けとめ、根拠の輪（Rad des Grundes）をまわらせるところに、永劫回帰を説く。それが人間に残された唯一の道であるという。それは、言葉をかえれば、ニヒリズムである。近代文明の否定である。「汝は、汝の精神が真に慮るところ、そこから、神的なものたるより高きものに生まれ変わりうるであろう」というのは、十五世紀の人文主義者ピコ・デラ・ミランドラの言葉であるという。人間は自らの主となって、神たりうるとする願いがそこに語られている。これは、必ずしも、意識的に反キリスト教的に言われたことではないかもしれない。だが、近代の初頭にすでにそういうことが言われていたことを注意すべきである。

ひたすら、人間が神たらんとする道を歩んで、巨大な文明を生み出したにもかかわらず、そのことにおいて大きな挫折に出会わざるをえなかった。ヤスパースはこのことを強く言う。ハイデッガーの存在志向もここに端を発する。世界はいま全体としてこの挫折感におちいっている。一様に出口を求め、会議に会議を重ねている。だが、出てくる結論は、いつでもミニマムでしかない。このミニマムをよりどころとして、マキシマムに達しうる途はどこにあるのか。

「偶然よ、私はお前をあらかじめ克服してしまった。お前の忍びこむ道はすべてふさいでしまった。」これはエピクロスの言葉だという。偶然を封じこめたとするのは、必然を把握したと信じるからである。これはエピクロスの場合、生活信条に止まる。だが、これが法則の把握を前提とする実験によって、わがものとされるとき、偶然という非合理は、完全に、封じこめられたかに思われた。そこにこの合理性の主体たる人間の絶対肯定がみつけられたかに思われた。だが、そうなること自身の偶然性は忘れられていた。

それが、今あらためて問われるとき、「存在がある」とはどういうことかという問となる。合理主義信仰の挫折は、あらためて、そういうふうになっていることの意味を、問うことになってはねかえる。勝利が挫折に通じるということの意味があらためて問われる。そういう形でしか、人生がありえないとは、一体どういうことなのか。そう人々は問いかけられる。これは、「人間がいる」とはどういうことか。更にこのことは、「存在がある」とはどういうことかという問に向かって行く。古く人が最も自らに問いかけたことが、今全くよそおいを新たにして浮かびあがってくる。「汝自身を知れ」という呼びかけに対し、「知らないことを知っている」と答えた古人の知慧が、形を新たにして、呼びかけてくる。それは「人間にとって人間は謎である」と聞こえないであろうか。「故郷喪失」の場に人間がいることが、ここに更めて言われることになる。

人間の尊厳と栄光を謳ったヒューマニズムは、現代に至って、それを失ったかに見える。もちろん、それを昔日のように謳うことはできない。われわれは、そこには否定が伴っていることを、知ったからである。啓蒙の光には、影が伴うことを、かつての人々は気づかなかった。だがわれわれは、そのことを歴史によって教えられた。このことは、ひるがえって、現代についても言われねばならない。ヒューマニズムの影に出会い、とまどっているからと言って、ヒューマニズムをかんたんに否定し去るところに、思わぬ落し穴がないとはいえないからである。何としても、ヒューマニズムの築きあげた、この巨大文明を否定し去ることはできない。それは、われわれの血肉のなかにしみこんでいるからである。

ヒューマニズムとこの巨大文明がおちいった自己疎外に対する認識は、同時に、人間の有限性に対する自覚を意味する。その自覚は深ければ深いほど、現代認識の深さを意味する。だが、有限が認識されていることは、同時に、すでにそれが超えられ、有限の自覚にもとづいて有限を超えねばならないとする何かが、動きはじめていることを意味するであろう。近代思想の根底にあるものは、人間と世界の永遠性を謳うことであった。「永遠の相の下に」（sub speci aeternitatis）というのが、それを導く理念であった。この世界観を代表するのが、スピノザ、カント、ゲーテである。人々は永遠を信じた、そして有限な自らのうちに、無限を、永遠を見つけ出しえたと思った。その人間の内なる永遠、無限が、実は歴史的なもの、有限なものにほかならなかったという現実に出会って、挫折することになった。これが現代の状況である。

われわれは、否でも応でも、ここから出発し直さねばならない。人間は永遠でも無限でもないということから、有限の自覚が出てくるのは当然である。あらためて、ソクラテスの知慧を想い起こすことになる。それが、実存的な形をとると、「永遠の相の下に」に代って「死の相の下に」(sub speci mortis)となる。亡びるものとしての、自らを知れという形になる。だが、だからと言って、そこに埋没することになるならば、死もまたその意味を失ってしまうであろう。徒らな人間不信となってしまうであろう。何としても、われわれは人間であることを脱することはできない。ここに求められているのが、有限と無限の新たなる哲学であると言えよう。

監修者あとがき

本書に収められた二編の論文のうち、「運命と摂理」はもともと一九六八（昭和四十三）年十一月、柏樹社から会員制図書「まみず新書」の一冊として刊行されたものである。その後版元の廃業によって「幻の一冊」となっていたが、希少な原本を所有する方にめぐりあい、著者・樫山欽四郎先生のご遺族のご了承を得て、ここに待望の復刻となった。

編集の方針として、原稿再入力にあたって見つかった誤植と思われるものについては訂正をした。他方、精薄児等、今日からみれば不適切と思われる表現や、水俣病やイタイイタイ病を当時の誤まった認識（風土病のような）で書いてある箇所については、その時代背景を考え合わせ、また著者が故人であるという事情に鑑み、あえてそのままとした。

付録として併収した論文「人間―有限―無限」は、一九七七（昭和五十二）年四月、二玄社より刊行された「どう考えるか」シリーズの『ヒューマニズム』からの一編である。これもご遺族および版元のご厚意によって転載がかなったものである。ここに記して謝意を表したい。

＊

樫山先生がヘーゲル研究における第一人者として、哲学界に大きな足跡を残されたことは広く知られるところである。一方、先生は私にとって大学院での指導教授であった。博士課程のゼミで私が「ヘーゲルの「自己」の論理」をテーマに発表したとき、先生は、「ぼくの考えたことを君はすっかり利用してしまっているけれども、まあそれはいい。ヘーゲルが近代社会の崩壊を理論づけたということは、『ヘーゲル精神現象学の研究』でぼくが書いておいた。一般にはあまり言われていないことである」とおっしゃって目を細められたことは懐かしい思い出である。

それ以来、私は、歴史を成り立たせる原理の中にはその歴史を否定する論理が含まれており、歴史が展開するとその否定が姿を現すという認識を、自身の歴史哲学の原点としている。その方法論を日本文学に当てはめ「日本人の精神現象学」を築くことは、私の研究テーマになった。その一応の成果は『日本文学を哲学する』（一九九五年）、『作家のこころを旅する』（二〇一四年）となった。

樫山先生が亡くなられて間もなく半世紀、はからずも先生の小論「運命と摂理」を読むことができた。そこには、先生の哲学を支える論理と人生観が凝縮されているように感じられた。ごく短いものということもあって読者に不要な予断を与えることのないよう、この場での詳説は控えることにする。ただ、今、ウクライナでの戦争という人間性の崩壊を意味するような未曾有の危機的状況にあるわれわれに向かって樫山先生が語りかけている、そんな感慨を覚えたと言っておきたい。

併収の「人間―有限―無限」は樫山先生最晩年の論考である。読者はそこで、

「運命と摂理」から一貫して変わることのない先生の哲学の核心に触れることができるであろう。二編あわせてあらためて、「運命と摂理」の問題をぜひわがこととして読み直されたい。

赤羽根龍夫

二〇二三年六月

著者略歴

樫山欽四郎（かしやま・きんしろう，1907-1977）

1907（明治 40）年 5 月 1 日長野県小諸生まれ。早稲田大学文学部哲学科卒業。西洋哲学専攻。哲学者。早稲田大学教授，文学博士。1977（昭和 52）年 8 月 7 日没。

著書：『ヘーゲル精神現象学の研究』『哲学概説』『ヘーゲル論理学の研究』『悪』『あたりまえのこと』（以上創文社），『哲学の課題』（講談社）他。

訳書：カント『実践理性批判』（三笠書房），ヘーゲル『精神哲学』『精神現象学』（以上河出書房新社），ワインシュトック『ヒューマニズムの悲劇』共訳（創文社）他。

監修者略歴

赤羽根龍夫（あかばね・たつお）

1943（昭和 18）年群馬県高崎生まれ。早稲田大学第一法学部卒業。早稲田大学大学院文学研究科哲学専攻博士課程修了。神奈川歯科大学名誉教授（哲学）。柳生新陰流師範。

著書：『日本文学を哲学する』（南窓社），『作家のこころを旅する』（冬花社），『武蔵と柳生新陰流』（集英社）他。

樫山欽四郎

運命と摂理

2023年9月30日　第1刷発行

発行者　野澤幸弘
発行所　株式会社行人社　〒162-0041 東京都新宿区早稲田鶴巻町539
電話 03-3208-1166　振替 00150-1-43093
印刷・製本　モリモト印刷株式会社

ISBN978-4-910910-00-0
定価は表紙カバーに表示してあります

哲学の戦場

那須政玄・野尻英一 共編

今まで哲学を戦場として捉えることがあったであろうか、あったとすればどのような哲学が戦場を意識していたか、さらに哲学においてどこに戦場があるのか、そしてさらにどこかに戦場があるならば、いったい何と戦うのか、つまり真の戦いのためにまず自軍の総点検（それは自らに対する戦いでもある）が必要だろうし、そのうえで哲学固有の真の戦いへと赴くのか、あるいは両面作戦か。——斯界気鋭の学究による挑戦的アンソロジー。

〈内容〉

野尻英一「未来の記憶―哲学の起源とヘーゲルの構想力についての断章―」
加藤直克「ヘルダーリン『ヒュペーリオン』を読むということ」
中尾健二「モーツァルトのオペラにみる近代」
髙橋明彦「アリアドネは歎く―詩人としてのニーチェ？―」
三浦仁士「自閉症スペクトラムの存在分節」
唐澤太輔「虚空と風―南方熊楠の「場所」をめぐって―」
相川翼「自閉症の哲学的考察による「人間」観の再考」
那須政玄「「自然」の取戻し―カント『判断力批判』の読み方―」

A5 判上製　448 頁　定価 4180 円（税込）　ISBN978-4-905978-96-1　2018 年 8 月刊

行人社